JN084650

スウェーデン 福祉大国の深層

金持ち支配の影と真実

近藤浩一・著

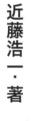

はじめに

日本が直面する少子高齢化に伴う生産年齢人口の減少、働く方々のニーズの多様化などの課題に対応するため、２０１９年4月1日より働き方改革関連法が適用されはじめました。そのため多くの企業では、どうしたら短時間で効率よく仕事ができるのかが模索されています。そうした例として日本で取り上げられるのは、ドイツやスウェーデンです。ドイツ人は効率よく働くイメージがあり、スウェーデンも高福祉国家で仕事とプライベートのバランスのよいイメージがあります。たしかにスウェーデンではフィーカと呼ばれるコーヒータイムがあり、天気のよい日は3時くらいで仕事を切り上げ、日光浴を楽しむ人たちもいます。日本人としては羨ましい限りです。しかし本当にヨーロッパ人は日本に比べそんなに効率のよい働き方をしているのでしょうか？

私は現在、スウェーデンの企業に勤めており、スウェーデンに住む前もドイツの同社で働き、ヨーロッパには10年以上住んでいます。また仕事の関係でヨーロッパだけではなくアフリカ、中東、アジアなどさまざまな国々を訪れ、日頃から多国籍の人たちと一緒に仕事をしてきた経験から多くの国々と日本を比較できます。ではそれほど日本人がドイツ、スウェーデンなどのヨーロッパ人と比べると非効率な働き方をしているのでしょうか？　それとも反対にヨーロッパ人が日本人と比べられないほど手際よく働いているのでしょうか？

私の海外勤務経験からいうと答えは「ＮＯ」です。

私は、日本人ほど勤勉に効率的で質の高い仕事をしている国民は見たことがありません。

「一般的な意見と大きく違う」と言う人もいるでしょう。私もヨーロッパで実際に働くまでは、ヨーロッパの働き方は日本よりはるかに効率的だと信じ切っていました。しかし、実際にヨーロッパで働くうちに、どう考えてもヨーロッパ人がそこまで効率的な働き方をしているとは思えなくなってきたのです。ですが現実にヨーロッパでは日本と比べゆったりと仕事をし、プライベート生活も充実する働き方が実現できています。なぜそうした働き方ができるのか不思議でなりませんでした。そうした私のヨーロッパでの生活・仕事での実体験を通し、日本とヨーロッパとでは何が違うのか調べ分析しはじめたことが、本書を執筆するきっかけとなりました。

本書の内容はスウェーデンを理想郷とするような、これまでの多くの書籍とは少し違うかもしれません。なかには私がスウェーデンに対し否定的な人物だと考える方もいるかもしれません。しかし先に１つお話ししておきたいのは、私は学生時代からスウェーデンに大変興味があり、現在務める会社もスウェーデン企業であったことで入社し、実際にスウェーデンにやってくるほど大のスウェーデン好きだったということです。そして今でもスウェーデンは好きな国です。ただ私が好きであることとスウェーデンにおける「事実」がどうであるかは別の話なのです。当然のことですが、何にでも表裏があり『光』があれば、『影』も存在します。本書で記されている『影』の部分もスウェーデンにおける現実なのです。しかし日本ではスウェーデンの陽に当たる部分ばかり取り上げられるものの、表面に現れない部分は全くというほど語られず、スウェーデンがあたかも日本の目指す理想国家であるようなイメージが作り上げられています。

スウェーデンは平等・公平を理念においている国です。しかしスウェーデンのよい面だけを見せられて、私たちが目標とする国家かどうか判断するのは、スウェーデンの掲げる理念にも反しているはずです。スウェーデンの『影』の部分も示すことで、本当にスウェーデンが日本の目指す理想的な国なのか、判断する材料の1つにしていただきたいという想いで執筆しました。読者が、スウェーデンの『光』と『影』の両方を知ったうえで、それでもやはりスウェーデンは理想的な国家だと判断するならば、それは本書の意図に沿ったものであり、執筆した意義があったというものです。

最終章では、スウェーデンについてだけではなく、現行の金融制度を通してみた世界における株主支配構造も取り上げていますので、最後までお読みいただければありがたい限りです。そして本書が日本のよりよい国家づくりに微力ながらでも貢献できれば幸甚の至りです。

近藤 浩一

「スウェーデン 福祉大国の深層」目次

8章　移民・難民の流入に歪むメディア

9章　謎の一族支配と世界の権力者ネットワーク

【凡例】

●為替レートは次のように計算した。

・1ユーロ　123円

・1クローナ　12円

・1ドル　105円

●本文中の敬称は省略した。

●特に注記のない写真は著者の撮影による。

1章

日本とこれだけ違う　仕事の効率、考え方やり方

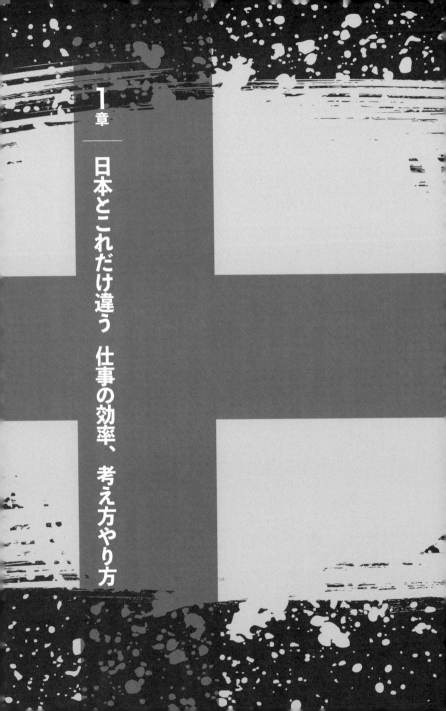

01

これで効率アップ？ コーヒー休憩ばかりの実態

スウェーデン語には「フィーカ」と呼ばれるコーヒー休憩を意味する言葉があります。スウェーデンを訪れた際、一番先に覚える言葉は、おそらくフィーカとなるはずです。街の至るところにはコーヒーショップがあり、のんびりとフィーカをして楽しむ人たちをよく見かけます。会社の中でもフィーカをしている人はたくさんおり、スウェーデン人によればこのコーヒー休憩は業務上でのコミュニケーションを円滑にするために、とても大切なものだそうです。そのためフィーカと言えば、仕事中に抜け出すことも可能です。またスウェーデンではランチの時間にビールを飲むことも問題ありません。3・5％以下の低アルコール度のビールならば多くのレストランに置いており、気軽に飲めます。仕事に支障がなければ、会社から特に文句を言われることもないのです。

また多くの企業では仕事中にスポーツジムに行くことも可能で、会社内にスポーツジムを完備している会社も珍しくありません。仕事中にエアロビクスやヨガのクラスに行く人もいます。さらに最近では、若く優れた人材を獲得するために、ゲームルームまで完備する企業もで

コーヒー休憩だらけの仕事ぶりは本当に効率的？
出所：Shutterstock

てきています。このゲームルームでは、ビリヤードやピンボールのようなクラッシックなゲームだけではなく、勤務中にテレビゲームをすることもできます。日本人からすると会社で仕事中にスポーツをしたり、テレビゲームをする光景は異様に感じるかもしれませんが、スウェーデンでは特に不思議なことでなく、日本とは異なった文化や仕事に対する考え方があるのです。

ところでスウェーデンを語る多くの本には、ゆったりとコーヒー休憩をとり、勤務中でもスポーツやゲームをして楽しみながら仕事をすることが気分転換となり、仕事の効率を上げていると書かれています。そして、日本でもスウェーデンのようにリラックスしながら働いても、仕事の効率が上がる方法を学ぼうとしています。しかし本当にこれが効率的な働き方なのでしょうか？

一般的なスウェーデン企業でのフィーカは、部署の全員が集まり30分ほど行われます。週1回の部署もあれば毎日行う部署もあり、なかには、1日に2度3度とかけもちでフィーカする人もいます。会社の公式なフィーカという名目で、個人的に1日に何度も休憩をとっている人もいます。その間仕事ができないので、フィーカに参加したくないけれど上司に指示され、しぶしぶ参加する人もいるほどです。それでもスウェーデン人にとってフィーカは日本でいう仕事帰りの一杯と同じようなもので、同僚とよいコミュニケーションをとる手段としてとても重要であるそうです。

ただ、フィーカは仕事帰りの一杯と違い、仕事中に行われていることを忘れてはなりません。フィーカが多くなればなるほど、実質の仕事時間は当然短くなります。スポーツジムやゲームで取った休憩時間は、基本的には勤務時間に含めてはいけませんが、柔軟な働き方という名目で勤務時間が自己申告制である企業も多く、実際には一人ひとりの社員がどれだけ休憩をとり、どれだけ働いているか把握できてはいない企業もあるのです。

もちろん1日に数回、5分、10分の短時間の休憩をとることは、頭を切り替えて、効率を上げるために有効です。しかし仕事そっちのけでフィーカやスポーツ、ゲームなど、休憩ばかりしている働き方は決して効率がよい働き方ではないはずです。もしスウェーデン人のいうリラックス勤務が本当に仕事の効率を上げると考える方がいるようでしたら、1度、勤務中に何度も長い休憩をとってみるとよいかもしれません。そうすればスウェーデン人流のリラックス勤務が体験でき、本当に効率的な働き方かどうかわかるはずです。

02 人力作業のスーダンよりも時間のかかる建設工事

私は出張でアフリカのスーダンに行ったことがあります。訪れた2008年は、南スーダンが独立する前で、テロが警戒された危険な時期でした。また同年、スーダンのハルツーム国際空港では搭乗者214人のうち30人が死亡した大規模な航空機事故もあり、数週間後には軽飛行機がスーダンのホテル近くに墜落するなど、安全とはかけはなれた国でした。

スーダンには建設機械がないため、ビルは全て人力で建てられます。さらに夏の気温は40度を超えるので、日中の作業もなかなか進みません。私が働いていた5階建てのビルも2年間を費やしてやっと完成しました。日本であれば2、3か月もあれば建てられたでしょうが、40度以上の炎天下での人力作業とあれば、しかたないかもしれません。

スウェーデンでもこの数年、よく建設工事が行われています。たとえば、スウェーデン第2の都市ヨーテボリ市では、市が中心となり、スウェーデンのシリコンバレーと呼ばれるサイエンスパークの再開発や、地下鉄工事など大規模な街の開発が行われています。日本ではよく、スウェーデンを仕事効率のよい国と取り上げますが、実はこうした工事のスピードは非常に遅いのです。たとえば、２０１６年にヨーテボリ市内の目抜き通りを通行止めにして、ヴァッテンスペルと呼ばれる長細い噴水をつくる工事が行われました。この工事では、ほんの全長20メートルほどの噴水をつくるのに約半年かかりました。また２０１７年に行われたヨーテボリ市内の18メートルほどの橋の改修工事では、当初１年ほどの予定が何度も計画延長を繰り返し、最終的に完成したのが２０１９年８月と、実に着工から約２年を要しました。

完成に約２年かかった短い橋

スーダンのように何の機械もなく全てを人力作業で行うならば、時間がかかるのは理解できます。しかしスウェーデンには最新の機械がそろっています。最新の機械を使ってどうすれば18メートルの橋をつくるのに２年もかかるのか、逆に不思議になってしまうほどです。スーダン人を雇い、人力で建築してもらったほうがよほど早く橋は完成すると感じてしまいます。

２０１８年にはヨーテボリ市内で、全長８キロメートルに及ぶ地下鉄建設が着工しました。建設終了予定は２０２６年で、完成まで８年間かかる予定です。一方日本では、２０１４年12

月からＪＲ東海が品川から名古屋間の２８５・６キロメートルを、リニア中央新幹線で結ぶ建設工事が始まっています。当初の完成予定は、12年後の２０２７年でした。この２つの列車建設工事を単純に比較すると、スウェーデンは１年で１キロメートルの建設スピードであり、日本はリニアモータカーという最新の技術工事にもかかわらず、１年で23・８キロメートルの建設を行っています。スウェーデンは日本と比べると23倍以上も時間がかかるのです。「効率的な国」として日本でよく語られるスウェーデンの、これが実態なのです。

　イギリスの言語学者リチャード・Ｄ・ルイスは著書『文化が衝突するとき』で、23か国のコミュニケーションパターン、リーダーシップスタイルや文化的アイデンティティを分析し図式化[1]しました。日本人が仕事の効率を語る際によく比較するアメリカ人とドイツ人を例にとると、アメリカ人は交渉カードをテーブルに置き、異なる意見であった場合でも、一方もしくはお互いが譲歩することで話をまとめるといっています。ドイツ人は、イギリスやフランスよりも論理的に多くの証拠を集めて、自分の主張を強調する傾向があるそうです。またスウェーデン人については、北欧諸国の中でも最も議論をすると述べています。ただ図のように、アメリカやドイツに比べて、スウェーデン人はあまりに議論が長すぎて、何だかよくわからないループ状態に陥り、結論も出ているのかどうかもわからないコミュニケーション方法をとっています。私の実際の経験からも、議論は多いのですが、結論が出ず、問題も解決されることなく仕事が進まないことがよくあります。これが実際のスウェーデン人の働き方です。

言語学者リチャード・D・ルイスによる国ごとのコミュニケーションパターン

スウェーデン人のコミュニケーションパターン

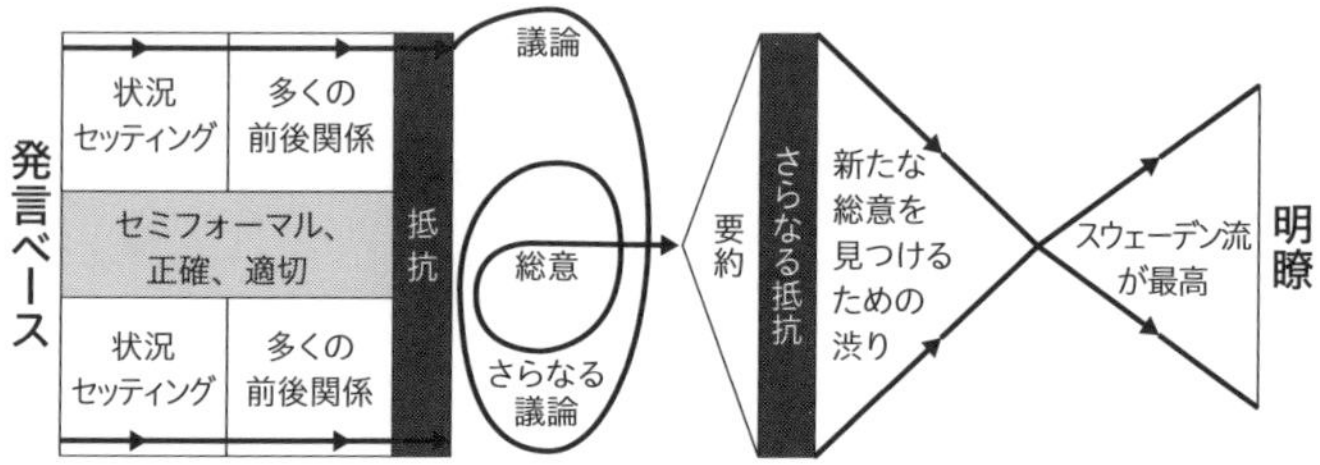

アメリカ人のコミュニケーションパターン

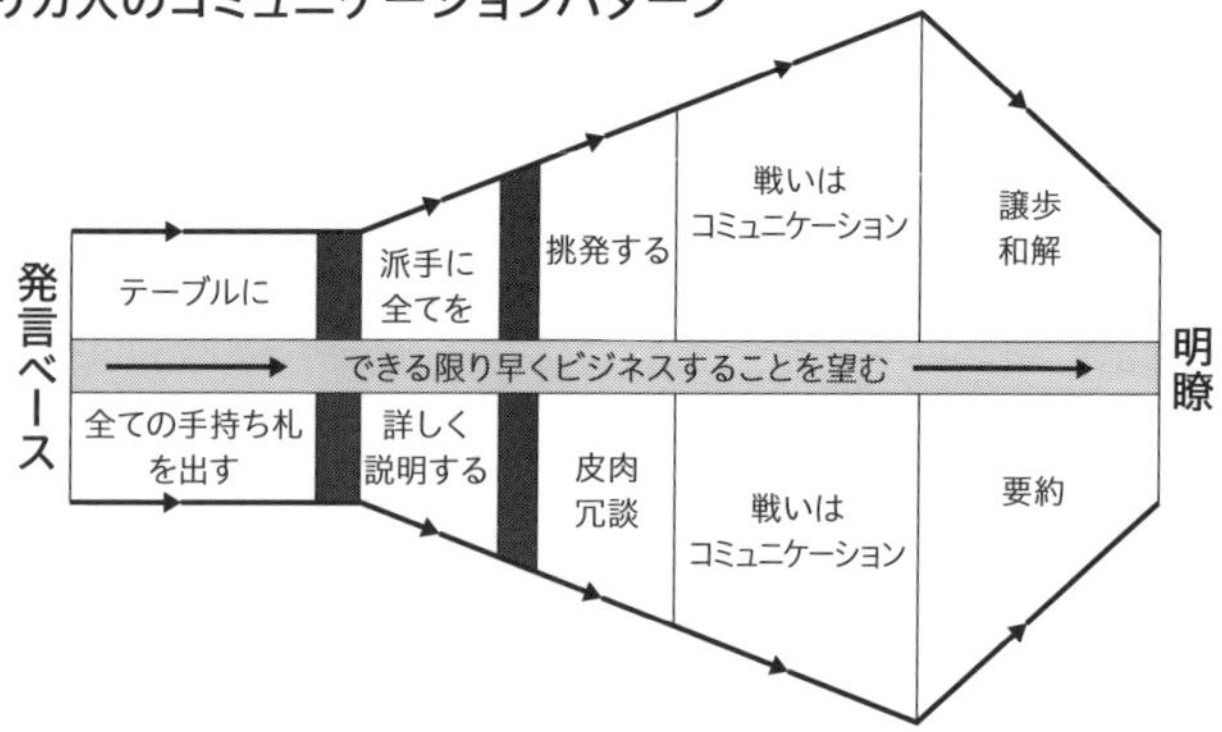

ドイツ人のコミュニケーションパターン

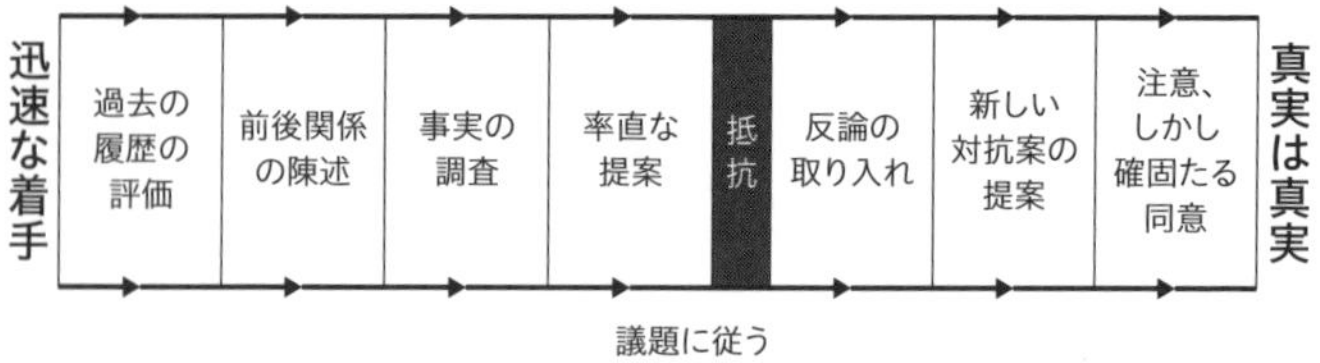

出所：Business Insider Richard Lewis Communications

03 遅れる鉄道、度重なる経理ミス ドイツは実は非効率

私はドイツに住んで働いていたこともありますので、日本人がよく働き方を比較するドイツについても少しお話しします。ドイツはスウェーデン同様、効率的な国として知られていますが、本当に効率的なのでしょうか？

ドイツには都市の幹線鉄道としてドイツ鉄道（ＤＢ）があります。この鉄道は、時間どおりに列車が来ないことでドイツ人の間でも有名です。私がフランクフルトからデュッセルドルフに向かうためにドイツ鉄道を利用したとき、途中駅で乗客の全員に降りるようアナウンスがありました。隣り合わせたドイツ人と話すと、理由はわからないがこれ以上列車が進めず、代行バスに乗り換える必要があるとのことでした。そのため乗客全員が代行のバスに乗り、途中駅のケルンまで行きました。ケルン駅から再び新たな列車に乗る必要があったのですが、代わりの列車がすぐに来るわけでもありません。しばらく待った後、到着した列車に他の乗客とともに乗りましたが、乗った列車でもまた社内アナウンスがあり、理由もわからず再び途中下車させられました。降ろされた駅で次の列車を待っていると、列車は案内板の表示と全く違うプラ

ットフォームに停車し、乗客全員が大慌てで列車に飛び乗るはめになりました。結局予定時刻より3時間も遅れて目的地のデュッセルドルフ駅に到着しました。他のドイツ人の乗客も「ドイツ鉄道はいつも時間通りに列車がこなくて困ってしまう」と嘆いていました。一見、時間厳守で効率的な働き方をするイメージのあるドイツですが、列車が時間通りに来ないのは日常茶飯事なのです。

2018年のイギリスの新聞『ガーディアン』の記事[2]でも、「ドイツ鉄道は度重なる列車のキャンセル、長時間の遅れ、橋の亀裂、不満を抱く従業員による非合法なストライキで世間の物笑いとなり多くの苦情にあふれている。ドイツ鉄道は年間20億人の顧客を輸送するヨーロッパ最大の鉄道事業者だ。定時運行率は一番よい時で95%であったが、一時期はそのわずか3分の1に落ち込んだときもあった。（中略）ドイツタブロイド紙『ビルド』でも『ドイツは世界で最も裕福な工業国の1つとなったが、世界で最悪の鉄道がある。』」と、ドイツ鉄道の定時運行率の低さを報じています。

日本の列車遅延状況はどうでしょう。経済・経営ライター三戸祐子の著書『定刻発車――日本の鉄道はなぜ世界で最も正確なのか？』（新潮社）によれば、1999年度のJR東日本においては1分以上遅れた列車を「遅れ」とみなしていますが、新幹線は平均ほんの0・3分の遅れ、在来線でも平均1・0分の遅れです。そして新幹線の95%、在来線の87%が定刻に発着しています。しかしドイツ鉄道では6分以上の遅れを、「遅延」とみなしているにもかかわらず、

時間通りにこないドイツ鉄道
出所：morguefile.com

２０１８年の定期運行率は73％[3]程度でしかないのです。

　こうした仕事ぶりはドイツ鉄道に限ったものではありません。私もドイツ滞在中に、経理部のミスで何度も会社から給料が支払われず逆に給料をひかれてしまう、国からの税金が８０００ユーロ（約１００万円）も多く請求されるなど、日本では考えられないような問題に何度も直面しました。その度に問題解決に向けて相手と交渉する必要があるため、非常に多くの時間や労力を費やさなければならず、非効率極まりありませんでした。

　一般的に効率的というイメージのドイツやスウェーデンなどのヨーロッパ諸国ですが、私の経験からは、こうした働き方が効率がよいとはとても考えられません。そしてヨーロッパに10年以上住み、ヨーロッパ人と一緒に働き過ごしていくうちに、日本人のいう「効率」と、スウェーデンやドイツなど欧米諸国が意味している「効率」の意味自体が違うことがわかってきました。

04

客目線の効率採用で中国企業に対抗できるか

長時間労働による電通社員の自殺をきっかけに、2016年頃から日本では以前にまして長時間労働が問題となり、政府主導で働き方改革が進められています。そして短い労働時間でも仕事の質を落とさずに業務を進めるため、多くの日本企業で作業工程の見直しが行われています。しかしなぜ日本はヨーロッパ諸国に比べて残業時間が長いのでしょう。その原因として、日本人の仕事効率の悪さをあげる人はたくさんいます。たしかに日本には古い習慣や閉鎖的な企業体質など、非効率的な面が数多くあります。ただ古い習慣や閉鎖的な企業体質は日本だけではなくヨーロッパ企業にも多く存在します。本当に日本人の仕事の効率が、ヨーロッパ人と比較にならないほど悪いせいでムダに長時間労働しているのでしょうか?

私は現在もスウェーデンの企業でスウェーデン人と一緒に働いており、スウェーデンに来る前もドイツでドイツ人と同じ条件下で働いていました。どちらの国も効率的な国として日本でよくお手本にされる国です。しかし実際にスウェーデン人やドイツ人と一緒に働いてみても、大して効率的とはいえません。それどころか、日本人からみると逆に効率が悪く怠け者も多くいます。

ではなぜ日本人からみると効率的でないヨーロッパが効率的だと言われるのでしょう。

今、ヨーロッパではリーン（ＬＥＡＮ）という言葉をよく耳にします。リーンとは、日本のトヨタ生産方式を、アメリカのＭＩＴのジェームズ・Ｐ・ウォマックとダニエル・Ｔ・ジョーズが分析し作成した、生産管理手法です。簡単に説明するとお客様目線に立ち、できる限り早く生産をするといった考え方です。現在、リーンを用いた働き方が効率的だとされ、スウェーデンの大半の企業でリーンが導入されています。キーポイントとなるのが「フロー・エフィシェンシ」と、「リソース・エフィシェンシ」という2つの効率の考え方です。ストックホルム商科大学研究員ニクラス・モディッグの著書『ディス・イズ・リーン』[4]によると、「フロー・エフィシェンシ」とはお客様目線にたった効率のことをさします。客は、できる限り早くサービスを受けられ、かつよりよい品質の製品がほしいと考えます。「フロー・エフィシェンシ」はいわゆる日本人のいう効率で、ムダな作業を省き、できる限り時間をかけず、高い品質・サービスを提供するというお客様目線の効率を示しています。

それに対し、「リソース・エフィシェンシ」とはコスト視点からみた効率のことです。「リソース・エフィシェンシ」では、製品やサービスを提供するのにどれだけコストを抑えられたかで効率を測ります。そのため「フロー・エフィシェンシ」とは異なり、お客にどれだけ早くよいサービスを提供するかは考慮されません。このように実は効率といっても2つの異なった考え方があるのです。

欧米で効率というと基本的にはコストを意味する「リソース・エフィシェンシ」を指し、お客さんに早くよいものを提出するという考え方はあまり含まれません。どれだけ自分たちの利益が上がるかが効率的かどうかなのです。海外旅行をする人ならわかるかもしれませんが、ヨーロッパに行った際、「サービスが悪いな」「長時間待たされるな」と感じた人も多いはずです。これは効率に関する考え方の違いから生まれてます。

さらに日本とスウェーデンの医療を例にとって話をすると、日本ではガンの検査をしに病院に行ってから2、3時間もあれば診察を受けられ、検査結果もすぐに出ます。日本では患者視点で効率を考えているので、できる限り早く診察して検査結果を出し、すぐに治療を開始できるようにしようと考えます。しかしスウェーデンではコスト重視なので、患者が医師にすぐに診てもらえるどうかは一番の問題ではないのです。そのため日本人には信じられないかもしれませんが、スウェーデンでは専門医に会うには最低でも2、3週間、長いと数か月以上もかかるのです。あるスウェーデン人はお腹が痛いといって地元の医師にみてもらってから、ガンが発見されるまで4年かかりました（スウェーデンの医療については3章で詳しく説明します）。

効率に対する考え方の違いには、地理や歴史的背景の違いも大きく影響しています。日本は災害大国です。２０１９年には大きな台風がいくつも日本列島を直撃し、甚大な被害をもたらしました。さらに地震や津波、火山、豪雪など常に日本は自然災害に直面しています。こうし

欧米と日本では効率に関する考え方が違う

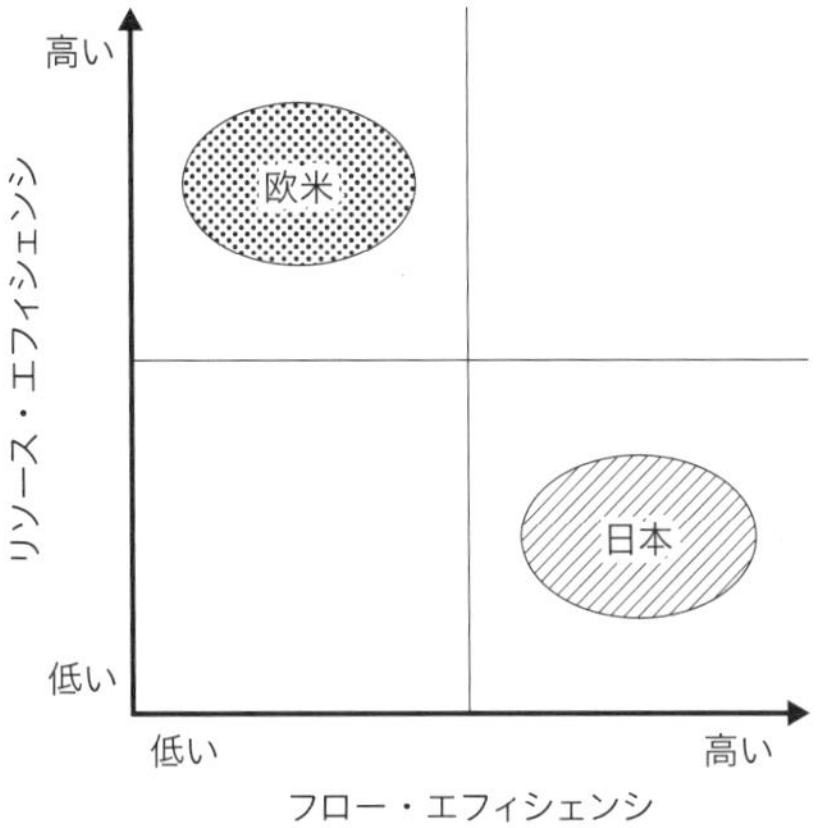

日本の効率（フロー・エフィシェンシ）
ムダな作業を省き、できる限り時間をかけず、高い品質・サービスを提供するという**お客様目線の効率**

欧米の効率（リソース・エフィシェンシ）
コスト重視の効率

日本と欧米で意味する効率がもともと違う

た環境下では、コスト重視で仕事のスピードは後回しなどといっていては、日本は崩壊してしまいます。また島国であるため、限られた資源で工夫をしながら災害と向き合い生きていく必要があるのです。一方ヨーロッパには特に大きな自然災害はありません。スウェーデンで大変なのは冬の雪ぐらいで、人命にかかわるほどのことはありません。またヨーロッパは大陸であり資源も多く、歴史的に植民地から資源の搾取をしてきたため、仮に資源がない状況に陥っても、創意工夫をしようという考えがあまりないのです。

しかし、これまではコスト重視の効率「リソース・エフィシェンシ」で問題のなかったスウェーデンも、2010年にスウェーデン自動車メーカーのボルボ・カーズが、中国企業のジーリーホールディンググループの傘下となってしまいました。また2012年にはスウェーデン通信機器メーカーのエリクソンも、中国通信機器メーカーのファーウェイに携帯通信市場での首位の座を奪われ、中国企業へ脅威を感じています。こうした中国企業に対抗するためにも、これまでの欧米型コスト重視の効率「リソース・エフィシェンシ」に加え、日本人型の客目線からみた効率「フロー・エフィシェンシ」の考え方を取り入れることで、業務スピードや顧客満足度の向上を迫られるようになってきたのです。日本は欧米のように効率的に働きたいと考えています。しかしおもしろいことに日本人が効率的な国と考えているスウェーデンでは、日本のような働き方を取り入れたいと考えているのです。

05 見た目重視のオシャレなオフィスに騙されるな

ストックホルムは世界各地から４７０万人ものの観光客が訪れる、北欧最大の都市です。多くの観光客が訪れる旧市街地ガムラスタンの街並みは歴史を感じさせる風格があり、かつ洗練された雰囲気が漂っています。また街並みだけではなく、スウェーデンはインテリアにもこだわりがあり、とてもオシャレな国です。

スウェーデンでは、スタイリッシュなオフィスを持つ企業がとても多いです。そうした企業のオフィスには、社員を和ませる観賞用植物が必ずといっていいほど設置されています。樹木やブランコまで設置し、まるでオフィス内を公園のようにして、社員の憩いの場を設けている企業もあります。日本企業ではなかなかみられない、社員に優しい社内環境を整えているのです。こうした整った環境で働くため、スウェーデンでは多くのイノベーションが生まれ、よい経済を保っていると考える日本人も多いはずです。

たしかに多くのスウェーデンの企業ではイノベーションをスローガンとして掲げることが多く、一見スウェーデン企業はイノベーション創造に力を入れていると感じられます。しかしこれはあくまで企業の経営者側からの目線です。

縦社会の日本企業で働く日本人にはなかなか理解しにくいのですが、スウェーデンは横社会なのです。そのため、会社の方針だからといって、日本企業のように社員一人ひとりがその方針であるイノベーション創造のためにまい進することもなく、その方針について上司が部下に命令をすることもまずありません。

また個人尊重の意識が強いため、上司も同僚同士もお互いあまり干渉せず、個人尊重・柔軟的な働き方を名目に、仕事での明確な責任や締め切りさえも決めたがりません。責任や業務も不明確で、中身のない仕事が非常に多いのです。

たとえば、遅く出社して早く帰る社員もいますが、柔軟的な働き方として勤務時間も自己申告制とし、社員がどれだけ働いているか把握できていない企業もあります。ただスウェーデンの会社はグローバル企業であることが多いため、残った仕事は他国に任せることが可能となるのです。したがって、スウェーデン企業がいくら素晴らしいスローガンを掲げていたとしても、それが社内に浸透し中身があるかとなると、全く別の話となります。

ただスウェーデン企業はインテリアにこだわり、見た目もオシャレで、外部に対するアピールにとても長けています。そのためはじめてスウェーデン企業を訪れた日本人は、日本とは違う社内環境や響きのよいスローガンを目にして、こうした社内環境がイノベーションを創造しているのだと考えてしまうのです。

06 高い失業率、機能しない失業プログラム

２０１８年に、東芝はグループで７０００人削減、富士通はグループで５０００人を配置転換、ＮＥＣは３０００人削減などの人員整理がされ[5]、日本でも大リストラ時代が再来しているといわれています。スウェーデンもリストラは多く、失業をしている人をよくみかけます。２０１９年の国際通貨基金（ＩＭＦ）による主要各国の失業率は[6]、日本２・４％、アメリカ３・７％、イギリス３・８％、ドイツ３・２％、フランス８・６％。スウェーデンは６・５％で、日本と比べるとスウェーデンの失業率は約2・7倍にものぼることがわかります。２０１０年には世界的な金融危機の影響を受け、スウェーデンの失業率はさらに8・6％まで上昇しましたが、この時期でも日本の失業率は5・1％でした。１９９０年以降、スウェーデンの失業率は常に日本を上回り、厳しい状態が続いています。

厚生労働省の海外情勢報告「欧州地域にみる厚生労働施策の概要と最近の動向（スウェーデン）」[7]によると、スウェーデンでの若年失業率（15歳から24歳）は20・6％と非常に高く、また大量の難民流入により、２０１７年におけるスウェーデン生まれの者の失業率が4・4％である

一方で、外国生まれの者の失業率は15・１％となっています。若者や難民・移民の失業率が特に高いのです。そのため政府の雇用仲介庁は、失業者へのサポートとして全国に約２５０の職業安定所を設置し、失業者に対する求職活動支援、労働市場訓練プログラムなどのサービスを提供、また長期失業者・新着難民・障害者などを雇用した事業者への助成も行っています。さらに失業者に対する雇用準備支援、職業訓練、職場実習、企業支援などの能力開発プログラムや失業保険制度の整備や再学習の環境を整えています。

　しかし独立行政法人労働政策研究・研修機構の調査[8]によれば、労働市場訓練プログラムを修了した者でも、２０１４年においてプログラム終了90日後で27・０％、１８０日後では34・１％しか就職できていません。またその就職先の半数弱が雇用助成された就職先であり、雇用助成なしで就職できたのは90日後でわずか15・９％、１８０日後でも18・６％しかいないのです。制度として労働訓練のプログラムはあるものの、実際はあまり機能していないのです。

　さらに同機構によれば、90日後の就職者のうち、男性は66・５％、女性は33・５％であると記されていることから、男性と女性の割合が偏っていることがわかります。２０１９年のスウェーデンの労働組合機関紙も、こうした労働訓練プログラムは男性を中心とした職業を対象としていることが多く、参加者の10人中８人が男性なため、男女の就職の偏りが起きていることを指摘しています。

　実際に、高校卒業資格を持つスウェーデン人女性の話では、３年間職業安定所や職業訓練学

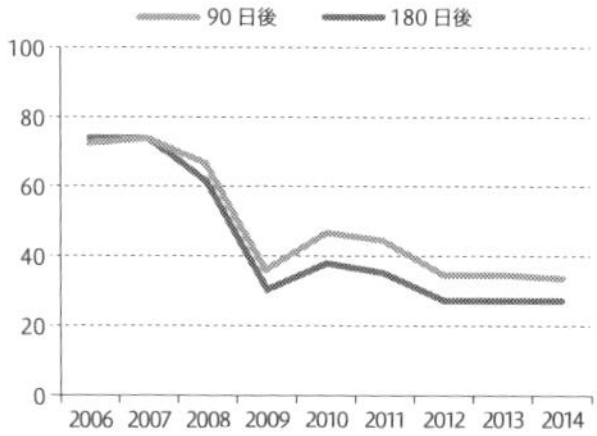

労働市場訓練プログラム後の就職率
（90日後／180日後）

単位：%	90日後	180日後
就職（助成なし）	15.9	18.6
助成された雇用	11.2	15.5
失業中	13.6	10.4
その他プログラムに在籍	51.1	45.0
その他	8.2	10.5
計（32,288名）	100.0	100.0

労働市場訓練プログラム修了後の状況
（90日後／180日後：2014年）

出所：独立行政法人 労働政策研究・研修機構

校に通ったものの単純な仕事しか斡旋されず、かつ雇用もされないので労働市場訓練プログラムが機能していないと嘆いていました。

しばしば日本のお手本となるスウェーデンですが、失業対策は、日本のハローワークや雇用関係助成金、職業訓練、失業手当などとさほど変わりはありません。ただ大きく違うのは、日本のように厳しい審査があるわけではないので、比較的簡単にサポートを受けられる点です。不安は軽減されますが、裏を返すとしっかりと運営されていないともいえ、制度を悪用しようとする人も多く出てくるのです。２０１３年4月のスウェーデンの新聞『ヨーテボリ・ポスト』によれば、カフェチェーン店ラ・パイン・フランチャイズは事業者への助成金支援制度を利用し、約50人もの健常者を障害者として雇用し助成金を得ていたことが発覚しました。[9]

世界でもよく知られた福祉国家で、万事うまく回っているようにみえるスウェーデンですが、実際は日本よりも失業率が高く、失業対策もさほどうまく機能していない実態もあるのです。

07 コスト優先で毎年のように行われる大規模リストラ

スウェーデンの大規模なリストラとして、通信機器メーカーのエリクソンで起きた2001～2005年のリストラがよく話題にのぼります。このときは、世界で10万7000人いた社員が4万7000人にまで削減され、国内でも1万2000人もの社員が解雇されました。

このリストラは、その規模だけでなく、社会的責任を果たした事例としてもよく紹介されます。日本の全国労働組合総連合（全労連）のホームページ「世界の労働者のたたかい（スウェーデン）」には、「余剰労働者に対し1年分の給与を支払い、職業訓練を受けたり、自営業開業をできるようにした。その際、労組元幹部を政府が任命し、会社、労組、政府の間の仲介役とした。この仲介役には、エリクソン社が社会的に責任をとるために具体的に何ができるかを模索し、リストラに関する人々の間の話し合いを通して、地域社会への悪影響を和らげようとの試みがなされた」と記されています。またいくつかの日本の書籍ではスウェーデンのリストラはよい労働力の移動であり、衰退部門から成長部門に人材が移動して経済活性化につながると述べられています。たしかにそうなのかもしれません。しかし1つ知っておいてもらいたいのは、スウェーデン企業でのリストラは日本人が考えている以上に多いということです。

公共テレビSVTがエリクソンのクムラ工場で15年間に起きたリストラの歴史をまとめていますが、[10]それによると、２００１年から２０１６年までほぼ2年に1度、国内外でも大規模・中規模のリストラが繰り返されています。２００１〜２００５年の大規模なリストラも、数あるリストラのうちの1つなのです。エリクソンで数々のリストラが行われた２０１０年から２０１６年までの間、最高責任者を務めていたのはハンス・ベストバーグでした。彼の6年半の任期中に、スウェーデン国内だけでも８０００人以上の従業員が解雇され、全世界のエリクソン・グループでも多くの人たちが失業しました。そうした大量解雇の最中、ハンスが高額な給料とボーナスを得ていた事実が発覚しました。２０１６年4月のスウェーデン労働機関紙『アルベーテット』によると、[11]任期の6年半で給料とボーナス合計で1億８８６０万クローナ（約22億６０００万円）も取得しており、他の幹部役員もこの間に、合計11億クローナ（約１３２億円）もの給料とボーナスを取得していました。ハンスの最高年俸は、２０１５年の３３８０万クローナ（約4億円）で、２０２０年の米経済誌『フォーブス』の世界長者番付に掲載された、ソフトバンク会長である孫正義の２０１５年役員報酬は1億３１００万円、トヨタ自動車社長である豊田章男の3億５２００万円と比較しても、[12]いかに巨額かがわかります。ハンスは、大量解雇を行った経営難の中で、日本の大企業の役員報酬以上の収入を得ていたのです。スウェーデンは一見すると福祉国家で社会主義的であり、皆が同じような所得を得ているイメー

街なかに公共雇用サービスはあるが……

大規模リストラは日常茶飯事

イケア
2018年:世界で7,500人、
国内650人

サーブ
2009年に300人
2018年に850人

アストラゼネカ
2010年:900人
2012年:1,200人

ボルボ・カーズ
2008年:国内で約2,700人
2019年:500人の契約社員
2020年:国内で1,300人

ボルボ・グループ
2009年:国内だけで1万人
2014年:世界で4,400人
2020年:国内で2万人を一時解雇

エリクソン
2001年から2005年までの間：
世界で6万人、国内で1万2,000人
2010年から2016年までの間：
国内だけでも8,000人以上

スカンジナビア航空
2014年:100人
2019年:ノルウェーで1,000人
2020年:全従業員の90%の1万人
を一時解雇

ジがあります。しかし社員の大量解雇時でも役員は高額な報酬を得るという、非常に資本主義的な一面もあるのです。日本人であれば、それほどの役員報酬を支払えるならば、経営判断ミスの責任を負い、自身の給料を減らしてでも社員を救うのが最高責任者の責任だと考えるのではないでしょうか。しかし多くのスウェーデンの企業では、経営が傾けばまずコストカットとして社員を切り捨てることが慣習化されています。そのため多くの社員は会社への忠誠心を失い、個人のキャリアアップや個人利益を優先する傾向が強くなっています。

２０１５年3月の公共ラジオSRで、スウェーデン技術者労働組合のトーマス・ビルドバーグは、「こうしたエリクソンのリストラは会社の危機ではなくただの長期的戦略である。会社は資金を新しい投資に移動させたいだけなのだ。我々は平均すると約2年ごとに大きなリストラの通知を受ける。しかしリストラではなく他の手段もあるはずだ。これからも労働組合は会社と交渉を続けていく。そして会社は何度も大きなリストラをしないことが重要であり、社員のスキルを向上させることに焦点を当てるべきだ」と述べています。[13] エリクソンで起きていた数々のリストラは、経営の危機回避の最終手段ではなく、経営上の戦略であると語っているのです。

リストラが多いのはエリクソンに限ったことではありません。自動車メーカーのボルボ・カーズ[14]は２００８年に国内で約２７００人、２０１９年に５００人、２０２０年に１３００人、ボルボ・グループでは２００９年に国内だけで１万人、２０１４年に世界で４４００人、

2020年に一時解雇で2万人[15]の人員削減を発表しています。他にも、軍事企業サーブは2009年に3000人[16]、2018年に850人[17]、家具メーカーのイケアは2018年に世界で7500人[18]、スウェーデンで650人、製薬企業のアストラゼネカは2010年に900人[19]、2012年に1200人[20]、スカンジナビア航空は2014年に100人[21]、2019年にノルウェーで1000人[22]、2020年に一時解雇で1万人[23]の人員削減を発表しています。

このように多くのスウェーデン企業は頻繁にリストラを実行しているのです。日本の本の中には、スウェーデン人はリストラを比較的許容する風潮があると書かれているものもあります。しかし許容しているわけではなく、何をいっても最終的に安易なリストラが行われる企業の体質に、スウェーデン人は文句を言うことさえも諦めてしまっているのです。

2章

本音を言わない国民性　我慢の住宅と暮らし方

08 アパートを借りられるまで5、6年は当たり前？

スウェーデンの冬はかなり寒いのですが、住宅にはオイルヒーターや二重窓があり、実は冬でもTシャツ1枚で過ごせるほど温かなつくりとなっています。そのため日本を訪れると、東京の冬の方が寒いというスウェーデン人もいるくらいです。そうしたスウェーデンの住宅ですが、実は信じられないほど不足しており、全くアパートを借りることができません。私もスウェーデンに来たとき、予想以上にアパートが借りられない住宅事情に、愕然としました。日本では不動産会社に行って物件探しをすれば、1週間ほどでアパートやワンルームマンションを簡単に見つけられます。しかしスウェーデンの住宅事情は全く異なります。

スウェーデンではアパートを借りたいという需要に対して、個数がまるで足りていません。政府が厳しく建物の規制をしているため、日本のように新たな住宅やアパートを次々と建築できないからです。もちろんスウェーデンにも不動産会社はあるものの、1社で取り扱うアパートの物件数は少なく、一般的には各市ごとに設けられている不動産総合サイトにアパート賃貸登録をして、はじめてアパートを借りる手続きが可能となります。

ストックホルムの賃貸住宅、10年待ちは当たり前

セーデルマルム地区
2部屋、66平方メートル、5階
月々7,318クローナ（約8万8,000円）
14年から23年待ち

オールスタ地区
2部屋、63平方メートル、1階
月々7,887クローナ（約9万5,000円）
13年から15年待ち

ストゥレビュー 地区
1部屋、43平方メートル、3階
月々6,082クローナ（約7万3,000円）
10年から13年待ち

ヨルトハーゲン地区
1部屋、41平方メートル、1階
月々9,446クローナ（約11万3,000円）
13年から17年待ち

出所：Bostadsförmedlingen
https://bostad.stockholm.se/

ただその待機人数が多く、待ち時間があ然とするほど長いのです。都市の中心部でアパートを探す場合、１つの物件に対して、１０００人以上待っていることも珍しくありません。５、６年待たなければ借りられないほど、アパートが不足状態にあるのです。

はじめてスウェーデンにやってきた人がもしすぐにアパートを借りたければ、短期間だけ貸してくれる人を探す必要があります。そのため、首都ストックホルムやヨーテボリ市など大きな都市では、２、３か月ごとにアパートを転々とする人たちも多くいるのです。それほど住宅事情が悪いなら、アパートを購入して貸し出せばよいビジネスになると考えるかもしれません。しかしスウェーデンでは個人がアパートを購入しても所有権はアパート住宅組合にあり、人に貸す場合には組合に許可を得る必要があります。許可を得ても最長２

年間しか貸し出せません。もし転々と引っ越したくない場合は、アパートの購入が一番手っ取り早い手段となるのです。

こうした事情から、スウェーデンでは多くの人たちがアパートを所有しています。ただスウェーデンの不動産購入方法は日本とは大きく違い、独特の制度があります。物件の見学は日時が決められており、物件を購入したい場合は見学日にその旨を不動産会社に伝える必要があるのです。不動産会社は複数の希望者に対し、その物件のオークションを開催します。そこから競りが始まり、最も高い金額を提示した人が購入できるシステムなのです。オークション開始時には２０００万円程度だった物件が、終了時には３０００万円ほどになることもよくあります。そのため、ストックホルムなどの大きな都市では年々不動産価格が上がり続け、アパート１平方メートルあたりの値段が銀座の一等地と同じくらいの値段になるものもあります。

銀行ローンも日本とは大きく異なり、２０１６年６月に新しい制度[1]が導入されるまでは頭金も不要で、利子のみを返していれば元金返済の必要もありませんでした。そのため学生でも容易にアパートを購入できました。一般的には、アパートを購入して数年後に物件価格が高騰したら売却して、一軒家を購入するのがスウェーデン人の典型的な不動産購入モデルです。社会主義的資本主義の国として知られるスウェーデンですが、住宅不足で家を転々とする人もいるかたわら、お金を持っていれば不動産の売却利益でさらに大きな家を購入できるという、金持ちに有利なとても資本主義的な不動産制度なのです。

09

国民の借金「住宅ローン」で巨額な利益を得る銀行

スウェーデンは慢性的な住宅不足で、かつ賃貸が非常に困難であるため、多くの人々が不動産の購入を迫られる事態に陥っています。ほとんどの人が銀行で多額の住宅ローンを組んで住宅を購入しており、２０１５年のニュースサイト『ザ・ローカル』によれば、たいていのスウェーデン人が年収の約３・７倍ほどの住宅ローンを抱え、住宅ローンがスウェーデンの総債務の95％を占めています。[2] スウェーデン国立住宅建築計画委員会のボヴァケットが２０１１年に行った調査[3]でも、住宅ローンがＧＤＰの約60％にも相当することが示されており、多くの人が住宅ローンを利用している状況がよくわかります。

深刻な住宅不足に対して政府も住宅建設を進めています。そのためスウェーデンの住宅投資は近年増加し続け、２０１７年の対ＧＤＰ比では住宅投資が５・７％[4]にまでに達し、ＥＵの平均４・９％よりも高い値となりました。しかし都市部では人口が増加しているにもかかわらず、厳しい制限があるためなかなか住宅建設が進みません。特に首都ストックホルムでは、過去10年間で人口が年間平均約３万５０００人増加しているものの、２００７年から２０１２年の間にはわずか年間5000〜9000戸しか建設されていません。その後住宅は少しずつ増えてはいますが、2017年でも約1万9000戸しか建設されませんでした。

スウェーデン銀行協会は、こうした住宅の供給不足が不動産の価格上昇を引き起こす原因であると指摘しています。[5] また国際通貨基金（IMF）も2016年上半期のスウェーデンの成長率は4・1％と非常によかったが、この成長率は主に住宅建設など内需により牽引されたものであり、スウェーデン政府は住宅市場の不均衡に適切に取り組まず、不動産の価格上昇と債務増加をもたらしていることを述べています。[6] 政府は人々が住む場所がなくて困っているにもかかわらず、住宅建設規制を行い、住宅不足をつくり出すことで意図的に住宅価格を引き上げ、景気の上昇をコントロールしているのです。

こうした状況に対し、2018年の経済サイト『ディナ・ペンガ』の中で左翼政党の党首ジョナス・シェーステットは、「2017年スウェーデンの4つの主要銀行（スカンジナビア・エンスキルダ銀行〈SEB銀行〉、スヴェットバンク、ハンデルス銀行、ノルディア）は合計1060億クローナ（約1・2兆円）にも及ぶ利益を上げている。しかしこれらの利益の大部分が住宅ローンから生じたものであり、その住宅ローンによる銀行の利益は年々増加している。（中略）そしてこうした銀行が行う国民からの住宅ローンという略奪行為を終わらせる必要がある」と述べています。[7]
また2017年の公共ラジオSRでも、銀行は住宅ローンで「史上最高」の利益を得ていると語っています。[8]

住宅規制による経済成長と銀行の利益のしくみ

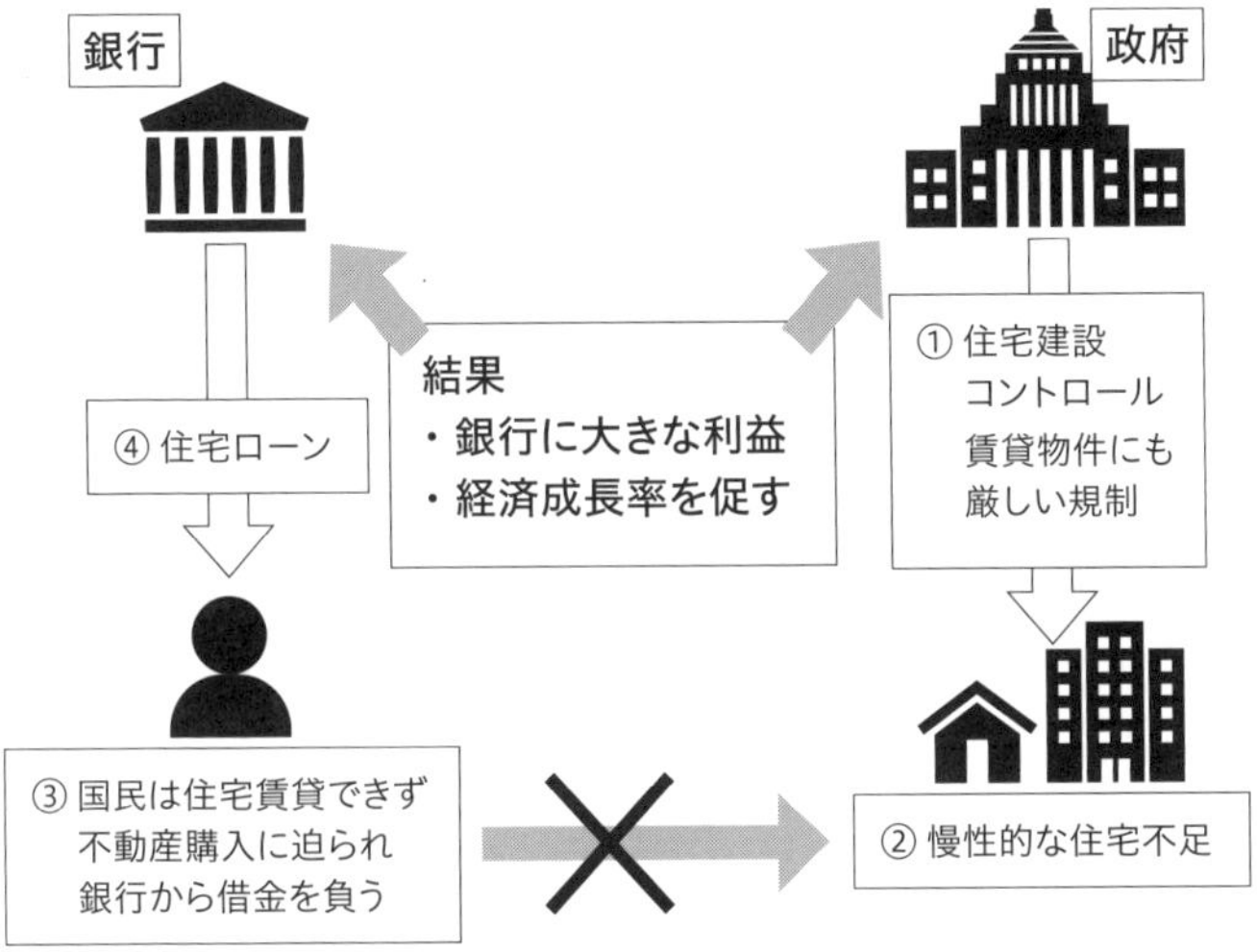

スウェーデンではそれだけ多くの人たちがアパート賃貸契約ができず、必要に迫られて銀行で住宅ローンを組んで、不動産を購入しているのです。２０１２年の日刊紙『ＳｖＤ』では、スウェーデンのアンデルス・ボルグ元財務大臣によると、今日のスウェーデンの銀行は住宅ローンにおいてヨーロッパで最も高い利益を得ており、その銀行の巨額な利益は、中央銀行と政府と債務管理庁が一体となり金融制度を安定させた結果生み出されたものだと記しています[9]。

　スウェーデン政府は、ときには社会主義的面を強調して政策を実施するかたわら、反面とても資本主義的に利益を追求する、局面により主義を使い分ける、ご都合主義的な政策を展開しているのです。

10

人的ミスによる事故多発 低すぎる安全性への意識

地震が多い日本では、日常の生活を守るための安全への取り組みが非常に大切です。しかし2005年に千葉県で起きた建築設計事務所の元一級建築士による耐震強度偽装事件[10]や、2015年に福井市の鉄工会社が橋を支える耐震補強部材コスト削減のために、意図的に不良品を製作し隠蔽するといった事件[11]もあり、日本の安全性に疑念を抱く人も多いはずです。反面、北欧にある福祉国家スウェーデンでは規制が厳しく、高い安全基準を保っているとイメージしている人も多いかもしれません。しかし、私の経験からするとスウェーデンの安全に対する考えが日本より高いとはとても思えません。

1つの例をあげましょう。2015年、スウェーデン第2の都市ヨーテボリ市では、市内を流れるイェータ川沿いのリンドホルメン地区でビル建設が行われていました。スウェーデンでは建設作業員に休息所を提供する必要があるため、川の上に作業員休憩用のコンテナ型簡易施設が設置されていました。日本であれば安全面から許可が下りるとはとても考えられませんが、こうしたコンテナ型簡易施設はスウェーデンの工事現場にはよく設置されています。ビルの屋

安全性に問題はないか
出所：Shutterstock

上など不安定な場所に設置していることもあります。安全上問題がないのか疑問に感じていましたが、ある日、川に埋め込まれていた支柱が折れ、コンテナ型簡易施設が川の中に沈んでしまう事故が起きました。幸いコンテナの中にいた作業員は自力で抜け出し命に別状はありませんでした。同年にヨーテボリ市内の人通りの多い場所に設置された工事現場の足場が風で崩壊する事故、ビル内の天井の電球を取り替える高所作業車が倒れる事故など、これだけでなく、最悪の場合人命に関わる事故も起きています。

　首都ストックホルムでも、日本のメディアで報道されるほど大きな事故が発生しました。２０１９年3月のニュースサイト『ザ・ローカル』によれば、市内を走る公共バスが、ルートから外れて高さ制限のあるトンネルをムリに通過しようとした際、バスの屋根に設置されたガスタンクがトンネルに接触し、大爆発を起こす事故が起きました。[12] バスの運転手は重症となったものの、乗客が乗っていなかったのは不幸中の幸いでした。しかし実はこの事故がはじめてではありませんでした。2013年5月にも同様な事故が発生したにもかかわらず、バス会社は特に対処をしていなかったために、この大爆発を引き起こしてしまったのです。

このようにスウェーデンでは事前に注意すれば防げる人的ミスによる事故が数多く発生してます。2017年の公共ラジオSRによれば、ヨーテボリ市の警察が公共バスの安全性をチェックしたところ、4分の3のバスに故障が見つかりました。[13] 主に、燃料漏れやクランプの破損、ネジの緩んだ座席、燃料を入れたエンジンの故障などで、なかでも燃料入りのエンジンの故障は、もし事故が発生すれば、急速に火が周り非常に危険であると警察は報告しています。しかしこうした警察の報告にもかかわらず、いまだにバスの故障はよく起きているのです。特にドアが閉まらず出発できない、走行中にギアが故障し道の真ん中で立ち往生するなどは日常茶飯事です。またバスの運転手のマナーも悪く、急発進・急停車はもちろんのこと、ルート間違えもよくあります。ただこうした低い安全性やマナー意識はスウェーデンだけではなく、安全性が高いイメージのドイツでも当てはまります。ドイツにはキルメスという移動式遊園地がありますが、つくりが粗く毎年どこかのキルメスで死傷事故[14]が発生しています。

たしかにスウェーデンやドイツにも安全基準に対する法律は存在します。しかしそうした安全基準があるからといって、守るかどうかはまた話が違うのです。日本人の国民性として規則はあれば守ることが当たり前のように感じますが、先進国と呼ばれるスウェーデンやドイツでさえ、安全性に対しての意識は日本と比べ低くかなり適当なのです。

11 本音を言わず主張もしない「ヤンテの掟」

日本人は議論が苦手だとよく耳にします。縦社会であることもあり、自分の意見をはっきり述べることが好まれない傾向にあるからかもしれません。反面、ヨーロッパやアメリカでは議論が盛んで、自分の意見を言うことが重要だとよく耳にするのではないでしょうか。

たしかにドイツでは自分の考えを示すことは非常に大切です。これは日本人が考えている以上であり、自分の意見を言わないと相手に同意したとみなされます。そのためドイツ人はどんなことでも口に出して言ってきます。これがドイツ人は議論好きといわれる由縁なのかもしれません。ただ過剰な面もあり、一度同僚にお土産としてチョコレートを持っていったところ、「嫌いだからいらない」と感謝もなく断られたことがあります。ドイツと日本の文化とは大きく異なり、ドイツ人は言った言葉で相手が傷つこうがどうしようが、周りを気にせず自分の意見をはっきりと述べるのです。

スウェーデン人はどうでしょう。スウェーデンは自由、平等が重んじられ、議論が盛んだというイメージが強くあります。またバルト海をはさんでドイツの向かい側にある国で、見た目も似ており、ドイツ人と同じような国民性であると考えられがちです。

しかし実はスウェーデン人はドイツ人や他のヨーロッパ人と大きく違い、あまり自分の意見を言いません。人との衝突や口論を避けるため、議論の際も否定的なことは話さず、相手に合わせて肯定的なことだけを話すことが多いので、本音では何を考えているかなかなかわからないのです。

スウェーデン語にはヤンテラーゲンと呼ばれる言葉があります。この言葉はヤンテの掟とも呼ばれる10の戒めを説いたもので、スカンジナビアの人々が持つ集団的価値観を示しています。その主な信条に「自分が人より優れていると思うな」があり、自分の意見をはっきり言うことが罪であると捉えられ、なかなか本音を言わないスウェーデン人の国民性をつくり出しています。そのため一見、相手に同意するような振る舞いをしていても本音は全く違っているということがよくあります。スウェーデンに住む外国人の間では、スウェーデン人が本当は何を考えているか理解できないとよく話題になるほどです。

私も上司に何かよいアイデアがあればいつでも話してくれとよく言われるので、何度かアイデアを出したことがあります。その際いつもよいアイデアだと肯定的な返答をもらいます。しかし実際にそのアイデアが採用されることはまずありません。スウェーデン人の国民性として人と衝突を避け、八方美人のようにその場はとりあえず相手に合わせる傾向が強いのです。

よく議論が盛んな国といわれますが、実際に議論はするものの本音が大きく違っているため、

実は日本以上の建て前社会

日本人が持つ**欧米人へのイメージ：**

議論が活発、本音で発言をする

↓

ドイツ人　＝　○

スウェーデン人　＝　×　**議論は多いが、本音の発言をしない**

↓

理由：ヤンテラーゲン（ヤンテの掟）

「自分が人より優れていると思うな」

＝＞自己主張せず、本音をなかなか言わず、
人との衝突を避ける国民性をもたらす

↓

日本人以上に建て前社会であり、
社会体制にも逆らわない国民性

結果が出ないこともよくあります。また何か話し合いをする際に建て前上会議を開くものの、実は開催前に結論が決まっていることもあります。日本人は本音と建て前が日本独自の文化であると考えがちですが、スウェーデン人は、日本人以上に本音と建て前を使い分ける国民性があるのです。

２０１１年から起きたシリア紛争からの難民流入で、難民問題はスウェーデンで大きな問題となっています。スウェーデン人は人道的立場で難民受け入れに賛成している人が多い印象ですが、もし反対であっても、それを口に出すと周りから軽蔑的な目で見られるため、多くのスウェーデン人は本音を言いません。男女平等についてなど他の社会問題でも同じで、一般的な意見と反対の意見を唱えると社会から阻害されがちなので、なかなか本音を話さないのです。

一見、自由にものを言える自由なイメージのスウェーデンですが、実は日本人以上に意見を言わず社会体制にも逆らわない、一般的なイメージと違う国民性を持っているのです。

12 歴史的事実と異なるイメージ操作がお得意

首都ストックホルムには中世の街並みが今も残ります。道沿いには多くの街路樹が植えられ、自然と街が調和したのどかな都市です。周囲のほとんどが美しい水に囲まれていることから北のヴェニスとも呼ばれ、「世界で最も美しい水の首都」とも称されます。この美しさからかストックホルムは宮崎駿監督の作品『魔女の宅急便』の舞台にもなったといわれています。特にストックホルム宮殿やノーベル博物館がある中心地の旧市街地は、観光客が必ず訪れる、とても有名な観光地です。その旧市街地から20分ほどトラムに揺られると、緑に包まれたユールゴーデン島の森の奥に5000ヘクタールにも及ぶ広大な庭園「ローゼンダール・ガーデン」が見えてきます。庭園にはりんご園や果樹園、野菜畑、花畑のほか、温室を改造したカフェがあり、鳥のさえずりが聞こえ、街の騒音もなくとても静かで都会のオアシスを感じさせられる場所です。こうした見どころの多いストックホルムには年間470万人[15]もの観光客が訪れ、市内の至るところに多くの土産店があります。そして多くの観光客はのどかで優美なストックホルムを訪れた記念に、スウェーデンを象徴する可愛らしいバイキングの人形を購入します。

お土産としてとても人気があり、現在はスウェーデンを象徴する人形ともなるバイキングですが、歴史的に見れば、バイキングは8世紀から11世紀にかけてヨーロッパ各地を侵略してきた海賊集団で、当時は多くのヨーロッパ諸国がその蛮行に苦しめられました。こうした歴史的事実とは大きく異なり、いつの間にかバイキングはよいイメージになっています。実はスウェーデンでは、よい印象になるようにイメージがつくり変えられていることが多いのです。

たとえばヨーテボリ市では、２０１７年に世界に先駆けてエコ都市を実現するため、一路線で電気バスを開始するという広告が、新聞や市内の街頭で大々的に展開されました。誰もがこの路線の全てのバスが、電気バスになったと信じていましたが、公共バスのホームページの詳細記事[16]をよく読むと、実は路線バス10台中3台のみが電気バスで、残りの7台はハイブリッドバスなのです。多くの人はわざわざホームページの詳細記事まで読みません。ですから、大半の人は今でも全てのバスが電気バスになり、世界に先駆けたエコ都市だと信じています。もしほんの数台のバスが電気バスだという事例なら、２０１１年の青森県七戸町電気シャトルバスや、２０１２年から開始した羽村市コミュニティバスの電気化など、日本にも先行事例があります。ただ日本では過大広告をしてまで、電気バスの運用を大々的に発表し、エコ都市を強調していないというだけです。

平和の象徴として知られるノーベル賞もスウェーデンお得意のイメージ操作がなされています。ノーベル賞設立までの経緯を扱ったアメリカの「ヒストリーチャンネル」[17]によれば、新型

昔は悪いイメージだった……

過 去

バイキング：
8世紀から11世紀にかけてヨーロッパ各地を
侵略してきた**海賊集団**

アルフレッド・ノーベル：
ダイナマイトを開発し戦争で使用され
死の商人と呼ばれる

現 在

バイキング：
スウェーデンの象徴
誇らしく格好よいイメージ

アルフレッド・ノーベル：
ノーベル賞は**平和の象徴**

の爆発物の開発で有名なアルフレッド・ノーベルは、ニトログリセリン起爆装置やブラストキャップ、バリスタイトと呼ばれる無煙火薬の設計など、３５５件に及ぶ特許を取得しました。１８６７年にはダイナマイトを発明、ダイナマイトは工事現場だけではなく戦争でも多く使用され、ノーベルは爆発物や弾薬を製造する約１００の工場を所有する大富豪になりました。ところが、１８８８年にフランスのある新聞がノーベルの兄であるルードヴィの死亡情報を、ノーベル本人のものと取り違えた際「アルフレッド・ノーベル博士：可能な限りの最短時間でかつてないほど大勢の人間を殺害する方法を発見し、富を築いた人物が昨日、死亡した」[18]と新聞に掲載したのです。この記事を読んだノーベルは、死後の評判をとても気にするようになり、ノーベル賞が設立されることになりました。今では平和の象徴として知られるノーベル賞ですが、そのノーベル賞を設立したノーベルは生前「死の商人」と呼ばれていたこともあり、今のイメージとは大きく違っていたのです。

　このようにスウェーデンではさまざまなところで、もともとのイメージと現在のイメージが大きく違うことがよくあります。スウェーデン人はもともとあった事実を、よいイメージにつくり変えることがとても上手な人たちなのです。

13 夏至祭、聖ルシア祭、クリスマス……豊かな伝統文化

現在のスウェーデンは世俗的な社会です。しかし伝統行事の中には宗教を起源とするものも多く、宗教離れが進んだ今でも多くの伝統行事を大切にしています。毎年春になるとスウェーデン人が心待ちにしている伝統的なお菓子セムラを食べる時期がやってきます。セムラは無糖のクリームの下にアーモンドペーストが詰め込まれたシュークリームのようなスイーツです。昔はキリスト教のイースター（復活祭）の前に断食を行い、その断食期間に入る前にセムラを食べていました。現在は断食はせず、セムラを食べる習慣だけが残っています。

6月になると伝統行事の中でも一番大きな行事である夏至祭が行われます。夏至祭とは1年で一番日照時間が長くなる夏至日を祝うものです。スウェーデンでは、夏至祭はキリスト教が伝わるよりも前から存在していました。現在は6月19日から25日までの間の金曜日を祭りの前夜として、多くのスウェーデン人が家族や友達と祝います。夏至祭ではメイポールという樹木の葉や花の飾りがつけられた柱を囲み輪となって、民族衣装を着た子どもや大人が一緒に伝統的な歌に合わせて踊ります。街なかの公園や広場で開催されることが多く、誰でも参加できま

す。最近は移民・難民が多くなり、伝統行事である夏至祭に参加するのは、スウェーデン人よりも外国人の方が多くなってきました。

8月、暖かくて穏やかな夏の終わりになるとザリガニパーティが開かれます。パーティでは、茹でたザリガニをいくつものテーブルいっぱいに積み上げ、シュナップスを飲みながら食します。日本でザリガニというと、川で子どもたちが遊びで釣るもので、泥臭くて食べられないイメージかもしれませんが、スウェーデンのザリガニは海で取れるため臭みもなく、ロブスターのような味がして大変美味しいのです。昔は高級なごちそうでしたが、今では1年中スーパーで簡単に手に入ります。スウェーデンに来たら記念として食べるのもよいかもしれません。

12月に入ると、太陽の沈む時間はどんどん早くなりますが、クリスマスのネオンやデコレーションで、街は色とりどりに飾られはじめます。12月13日にはキリスト教の聖人である聖ルシアの聖名祝日を祝う聖ルシア祭が、スウェーデン各地の幼稚園や小学校、教会などで行われます。ルシア祭では白いドレスを着た女性が、頭にロウソクを飾りルシアの歌を歌いながら行進します。多くの女の子は、心の中で主役のルシア役になりたいと願っているのです。金髪の白人の女の子がルシア役に選ばれることが多かったのですが、最近、金髪の白人でなければルシアになれないのかという議論が巻き起こり、2000年のスウェーデン代表ルシア役に、はじめて非白人の女の子がなりました。

ルシア祭から11日後にはクリスマスイブがやってきます。スウェーデンのクリスマスは日本のお正月のようなもので、多くの人が実家に戻り、家族と一緒に祝います。クリスマスは今もスウェーデン人にとって一番の大事な家族のイベントです。クリスマスといえばサンタクロース。ストックホルムの北西にあるモーラという町には、サンタクロースの定住の地としてサンタワールドがあり、クリスマスイブを除いていつでもサンタクロースに会えます。ただサンタクロース村は、フィンランドやノルウェー、グリーンランドにもあるため、北欧人にサンタクロース村について聞くと、誰もがサンタは自分の国にいると言い張ります。しかし、世界各国の公認サンタクロースが集まって毎年7月にコペンハーゲンで開催される「世界サンタクロース会議」[19]で、サンタクロースはグリーンランドに住んでいると結論が出されたそうです。

現代のスウェーデンは日本と同じように宗教離れが進んでいますが、慣習として多くの伝統行事が残っており、今も豊かな伝統文化が引きつがれています。行事に合わせてスウェーデンを訪れるのもよいかもしれません。

6月に行われる最も大きな伝統行事、夏至祭

14 無賃乗車に皮膚ガン イメージと異なる日常生活

スウェーデンでは平日仕事が終わると、自分の好きな趣味やスポーツをして過ごす人がたくさんいます。健康に気を使っている人も多く、街なかではジョギングする人をよく見かけます。国民の健康意識が高いスウェーデンでは、他のヨーロッパ諸国と比べて肥満の人をあまり見かけません。経済協力開発機構（OECD）の非肥満率ランキング[20]でも、1位は日本であるものの、スウェーデンは6位で、他のOECD諸国と比べると肥満が少ない国だとわかります。

ストックホルムやヨーテボリにはバスやトラム、列車、水上バスの公共機関があり、多くの人達が毎日の通勤に利用しています。ストックホルムでバスに乗るときには、前乗り乗車で購入した切符を乗務員に提示しなければなりません。しかしヨーテボリでは、バスやトラムに乗るときに切符を乗務員に見せる必要がなく、代わりに検札官が切符の確認のため、ときどき見回りにやってきます。ヨーテボリ市の交通機関の料金は片道30クローナ（約360円）ですが、1か月定期は2019年に、640クローナ（約7680円）から775クローナ（約9300円）へ大幅に値上げされ、とても高額です。そのため無賃乗車が非常に多く、一度の検札でいつも

大富豪の名前のついたヴァレンベリハンバーグ

1人か2人が捕まり罰金を払っています。2019年の『ヨーテボリ新聞』の記事[21]によると、利用者の8%から9%が無賃乗車で、公共交通機関ヴェストラフィックは毎年、1億クローナ（約12億円）もの損失を出しています。そのため2019年から、年間1億4000万クローナ（約16億8000万円）を使い、検札官の数を4倍に増員して、無賃乗車防止に努めると述べています。一般的に考えると前乗り乗車に変更すれば、コストをかけずに無賃乗車防止できるはずですが、なぜか無賃乗車以上のコストをかけて、検札官を増員しています。ヨーテボリ市に住むスウェーデン人によれば、ヨーテボリ市は体質が古く、新しいシステムを導入したくないようです。

週末の夜は家族や友人とレストランやバーで楽しく過ごす人が多くいます。レストランでは、日本のイケアにもあるミートボールやヤンソンの誘惑と呼ばれるポテトグラタン、スウェーデンの大富豪の名前をとったヴァレンベリハンバーグなど、伝統的な料理が人気のメニューです。お酒を飲む方法は2通りあります。スウェーデンには民間の酒屋がないため、自分で購入する場合は国営酒屋で買うこととなり、また20歳以上である必要があります。しかしレストランやバーでお酒を飲む場合、18歳以上であればよいという、日本とは違う法律があります。

天気がよければ公園へ散歩へ行く人も多くいます。日本で散歩というとわざわざ週末にすることではないでしょうが、日照時間の短いスウェーデンでは、日光を浴びること自体が、アクティビティの一つとなっているのです。特に夏には公園や芝生の至るところで、水着になり日光浴する人を見かけるようになります。年間を通して日照時間が短いので、太陽の出ているときに、ここぞとばかりに日光浴をするのです。そのため太陽に恵まれない国にもかかわらず、スウェーデンはヨーロッパの中で最も皮膚ガンが多く、毎年4万5000人が皮膚ガンと診断されて、500人が黒色腫などで死亡[22]しています。皮膚ガンの死亡者数は交通事故の年間死者数を上回るほどです。しかしそれでもスウェーデン人は日光浴が大好きなのです。

夏になると多くの人たちが長期休暇を取得します。有給休暇は年間25日あり、休暇をとると休暇手当をもらうこともできます。企業も有休消化を促すため、長期休暇を取得しスペインやタイなど暖かい国へ旅行する人も多くいます。ただあまりに多くの人が夏に一斉に休暇を取るので、スウェーデンでは夏に多くの企業が稼働しなくなります。多くの医療関係者も夏に休暇を取るため、医師や看護師の数が減り、「夏に病気になるな」と言われるほどです。

日照時間が短く寒い国スウェーデンですが、たくさんある休暇を使い、海外旅行や趣味、スポーツなどをして多くの人たちが日々を楽しんでいます。せわしない生活の日本人には羨ましい、のんびりした日常生活です。

3章

高い医療費、低い医療・福祉サービスの危ない生活

15 手術待ちの間に死んでしまう患者と医療事情

スウェーデンの医療システムは日本とかなり異なります。病気になったときは、まずボードセントラルという一般診療所で、内科、皮膚科、整形外科などどんな病気も診る総合診療医に診察してもらいます。そして必要と判断すれば総合診療医が総合病院に紹介状を書き、専門医に診察をしてもらうホームドクター制度をとっているのです。

多くの一般診療所では医師に診察をしてもらうため予約をする必要があります。なかには予約なしで診察をしてもらえる一般診療所もありますが、診察まで2、3時間待つことも珍しくありません。

2017年、公共ラジオSRによると、[1] ヴェステルノールランド県の一般診療所で、1週間以内に医師からの診察を受けることのできた患者は平均で82％でした。これは平均値で、66％から67％しか診察を受けられない診療所もあります。同年の公共テレビ放送SVTによれば、[2] 急病で救急外来に行った場合でも、平均待ち時間は3時間18分、長い人では7時間以上待つ必要があるとのことです。体が突然けいれんを起こしたため救急外来に行ったのに、8時間待ちだったというスウェーデン人もいます。12時間以上待ったという話さえ聞きます。

一般診療所から専門医を紹介してもらっても、診察してもらうまでの時間が長くかかります。日本の総合病院も待ち時間が長いとときどき聞きますが、どんなにかかってもその日のうちに診てもらえるでしょう。

しかしスウェーデンでは、紹介状を書いてもらってから専門医に会うまでに、最低でも2、3週間、ときには2、3か月も待つことがあるのです。2020年8月、スウェーデンの市町村議会（SKL）の統計[3]によれば、90日以内に専門医に診断してもらえたのは69％のみでした。私自身も呼吸器科の専門医に紹介状を書いてもらいましたが、当初は18か月の診察待ちといわれ、実際に専門医に診察してもらえたのは4年後でした。日本では信じられないことですが、スウェーデンでは結構よくあることなのです。そのためちょっとした病気ならば、専門医に診てもらう前に自然に治ってしまいます。

また仮に専門医に診察してもらい、手術が必要であっても、多くの患者はすぐに手術を受けられません。SKLの統計[4]によれば、全国で90日以内に手術を受けられた患者は46％に過ぎず、ノールボッテン県ではではほんの25％しか手術を受けられていないのです。あるスウェーデン人は腹痛で一般診療所を受診しましたが、長い間原因不明で治療されませんでした。4年後にやっと専門医に診察してもらうと大腸がんが発覚し、手術もそれから4か月後にやっと行われたのです。

長期間医師に診察をしてもらえず、手術待ち期間も長いため、なかには待っている間に死亡する人も出てきます。２０１８年の健康管理協会の雑誌『ケアフォーカス』によると、[5]カロリンスカ大学病院でも、手術までの待ち期間が長く、膵臓《すいぞう》ガンの76歳の男性は60日間の手術待ちとなり数週間後に死亡したと記されています。、72日待機となり手術待ち中に転移が広がりすぎてしまい、手術は中止となり死亡してしまった男性もいます。さらに２０１７年の日刊紙『ＳｖＤ』によれば、ヴェストラ・イェータランド県の妊婦は、モンドール市の緊急治療室に16時間待たされたあげく亡くなってしまいました。呼吸困難を抱えた72歳の男性も、間違った科に入院させられ死亡するという医療事故も起きていたことが記されています。[6]

また同誌によれば、[7]レックス・マリア（スウェーデンの患者安全法の第3章5項で義務付けられている報告の口語名）[8]により報告された国内の病院で起きた重大な医療事故として、２０１６年度に乳児から80歳までの年齢で13人の死亡者がいたと記されています。理由は病室の空き不足によるためで、毎月約１人の患者が病室不足で死亡しているとのことです。[9]

このようにスウェーデンの医療機関では、診察してもらうまでに日本では考えられないほどの時間がかかり、なかには医師に会えず死んでしまう人もいる過酷な状況なのです。

医者に診てもらうまでになぜ時間がかかるのか

スウェーデン医療：

非常に長い診断・治療までの待ち期間
ときには診断・治療待ちで亡くなる人も発生

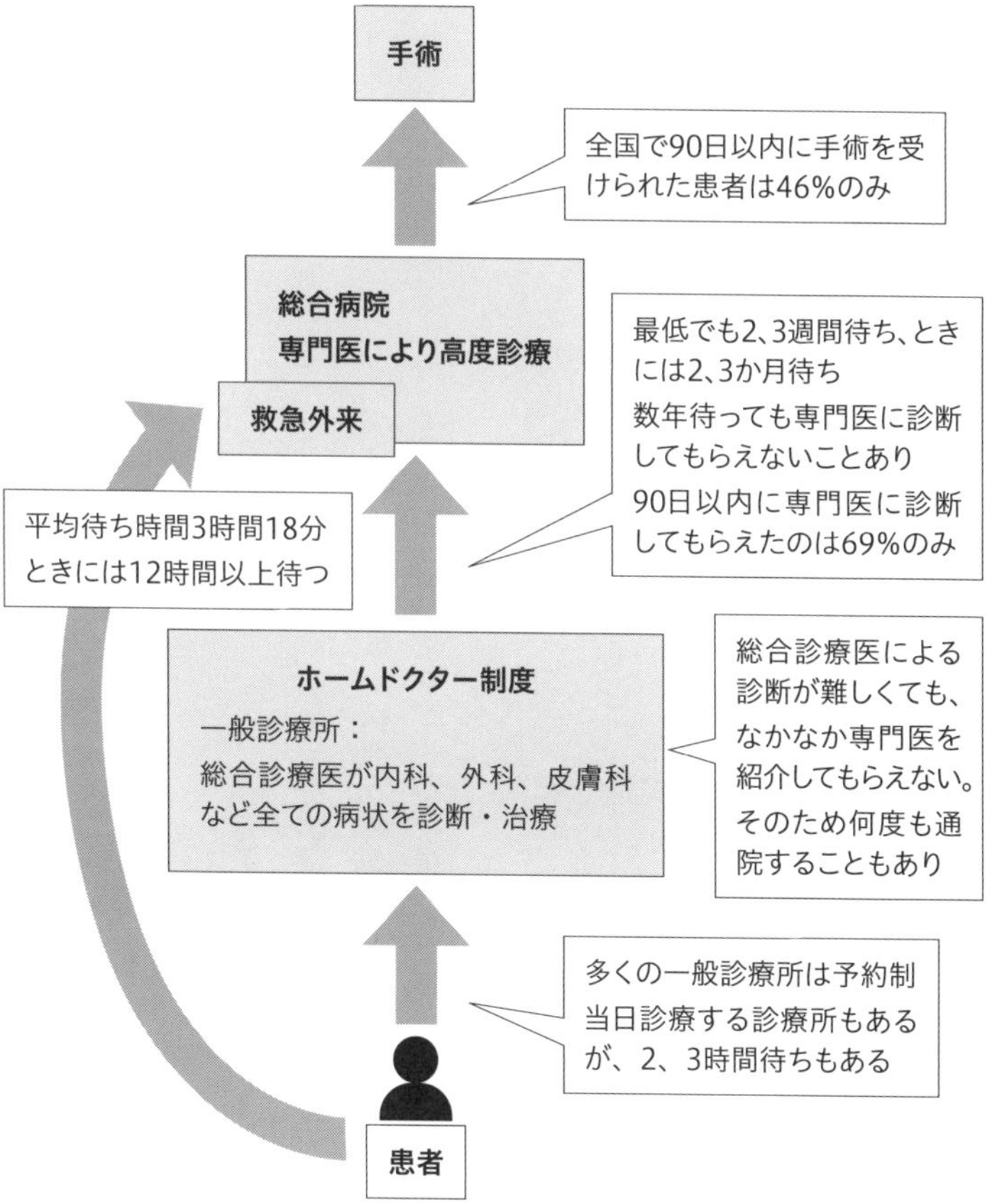

手術
全国で90日以内に手術を受けられた患者は46%のみ
総合病院
専門医により高度診療
救急外来
最低でも2、3週間待ち、ときには2、3か月待ち
数年待っても専門医に診断してもらえないことあり
90日以内に専門医に診断してもらえたのは69%のみ
平均待ち時間3時間18分
ときには12時間以上待つ
ホームドクター制度
一般診療所：
総合診療医が内科、外科、皮膚科など全ての病状を診断・治療
総合診療医による診断が難しくても、なかなか専門医を紹介してもらえない。そのため何度も通院することもあり
多くの一般診療所は予約制
当日診療する診療所もあるが、2、3時間待ちもある
患者

16 低額なようで実は高額な医療費のウラ側

スウェーデンは「ゆりかごから墓場まで」と言われるように高福祉国家で有名な国です。たしかに医療費は年間1150クローナ（約1万3800円）まで、医師から処方箋を出してもらった薬代も2350クローナ（約2万8200円）までと上限があり、その金額以上の医療費・薬代は無料になります。これだけを聞くとスウェーデンの医療制度はなんとよいのかと考えがちです。しかし、日本では病気になればその日に病院へ行き、医師に診察してもらうことが当然ですが、63ページで書いたようにスウェーデンでは専門医に診察してもらうために数週間、数か月、ときには数年間待つ必要があるのです。

一般診療所を介さず、民間の専門医に診察してもらうことも可能ですが、民間の診療所に行く場合には、最低でも1日前に予約する必要があります。医療費は、診療所によりまちまちですが非常に高額で、1回で1000クローナ（約1万2000円）から1200クローナ（約1万4400円）ほど支払う必要があります。そのため民間の診療所で何度も専門医にみてもらうと、非常に高額な医療費の支払いが発生します。この医療費は年間医療費の上限1150クローナを超えても無料にはなりません。

民間の診療所があまりに高額なため、最近では個人医療保険に加入する人が増えています。個人医療保険に加入すれば、数日で民間の専門医に診察をしてもらうことができ、看護師への電話相談や、ケガの際に理学療法士に年間10回ほど無料で診察してもらえるサービスなどを受けられます。個人医療保険の料金は年齢や保険会社により異なりますが、40歳では月々500クローナ（約6000円）ほどかかり、さらに初診の場合は、病気ごとに700クローナ（約8400円）ほどを追加で支払わなければなりません。

こうした高い個人保険を毎月支払うことではじめて、日本の診療所と同じ医療サービスを受けることが可能となるのです。

また歯科治療費は医療費とは別で、年間1150クローナを超えても無料にはなりません。そのうえスウェーデンでは歯科治療費が非常に高く、公的歯科でも検査は855～1415クローナ（約1万円から1万7000円）ほど、1本の虫歯治療では約820クローナ（約9800円）もかかります。民間の歯科ではさらに高額となります。ある人は2本の銀歯がとれてしまい、民間の歯科で治療を受けた際、一番安い白い歯にしたにもかかわらず、1万クローナ（約12万円）もとられたといっていました。

なぜスウェーデンの歯科治療費が高いのか歯科医に尋ねたところ、一般の医療費が低額である分を、歯科治療費を高くしてまかなっていると教えてくれました。2012年のスウェーデンの新聞『アフトンブラーデット』によれば、歯科治療が高額すぎるため、5人のうち1人は歯医者に行くのを控えているそうです。控えている人は主に低所得や低学歴、外国生まれで独身の若者と記されています。[10] 一見、弱者に優しそうなスウェーデンですが、低所得者は歯医者にも行けない実態があるのです。

日本人がスウェーデンの医療費が低額だとイメージするのは、子どもの医療費が無料だからです。たしかに多くの自治体では20歳までの子どもは医療費が無料で、歯科治療も23歳まではタダです。

日本では、こうしたスウエーデン医療のよい面ばかりに焦点をあてた報道がなされています。しかし、高額な歯科治療費や、専門医に診察してもらうまでの長い待ち時間、待ち時間を避けるためには高額な個人医療保険へ加入する必要があるなど、悪い面は報道されていません。そのため多くの日本人がスウェーデンの医療が、無条件で無料、もしくは低額だと誤認しているのです。

スウェーデンで日本のような医療サービスを期待する場合、実はその医療費は日本人が考えているよりも、ずっと高額なものとなるのです。

スウェーデン医療は無料ではない！

医療費が安い
もしくは無料のイメージ：
公的医療施設での医療費は
年間1,150クローナ（約1万3,800円）まで
医師から処方箋を出してもらった薬代も
2,350クローナ（約2万8,200円）まで

↓

実際：公的施設での専門医に
診断してもらうまでの
長い待ち期間

↓

民間診療所
長い待ち期間を避け、直接専門医に診て
もらうため民間診療所で診察
1回の診察で1,000クローナ
（約1万2,000円）～1,200
クローナ（約1万4,400円）ほど

↓

高額な個人医療保険への加入
保険会社、年齢により金額や条件は違うが、40歳では月々約500クローナ（約6,000円）
初診の場合は病気ごとに
約700クローナ（約8,400円）
追加で料金を支払う必要あり

現実：
スウェーデン医療は
無料ではない
・**歯科治療は日本より高額**
・日本に近い医療サービスを受けるためには、**高額な個人医療保険に加入する必要あり**

高額な歯科治療費
公的歯科でも検査費用：
855～1,415クローナ（約1万円から1万7,000円）
1本の虫歯治療：
820クローナ
（約9,800円）
最近は個人歯科保険もあり

17 日本では考えられないほど低い医師の技術力

通常、病気になったときにはボードセントラルと呼ばれる総合診療医のいる一般診療所で診察をしてもらいますが、その総合診療医のレベルもあまり高いものではありません。医師の話では、専門医になれなかった医師や新米の医師が、一般診療所で働くことが多いそうです。

自分の体験をあげると、発疹が出て一般診療所で診察してもらった際、医師は原因がわからないためインターネットに症状を入力し検索しはじめました。スウェーデンの一般診療所の医師は、病気の原因や症状がわからないとき、よくインターネットを使って検索をします。この医師の場合、結局わからずじまいでした。専門医の紹介をお願いしたところ、原因が突き止められないから専門医の紹介はできないと、本末転倒の話をされました。こうした事例は非常に多いため、スウェーデン人は少しの病気やケガでは病院に行きません。スウェーデン人の身体が強いからではなく、病院に行っても大して変わらないからです。

総合病院の専門医でも技術力が低い医師は多くいます。身内が治療で脊髄《せきずい》麻酔をした際、医師がなかなか麻酔注射を打つことができませんでした。医療に素人の私からみても、患者が背

格差のありすぎるスウェーデンの医療技術力

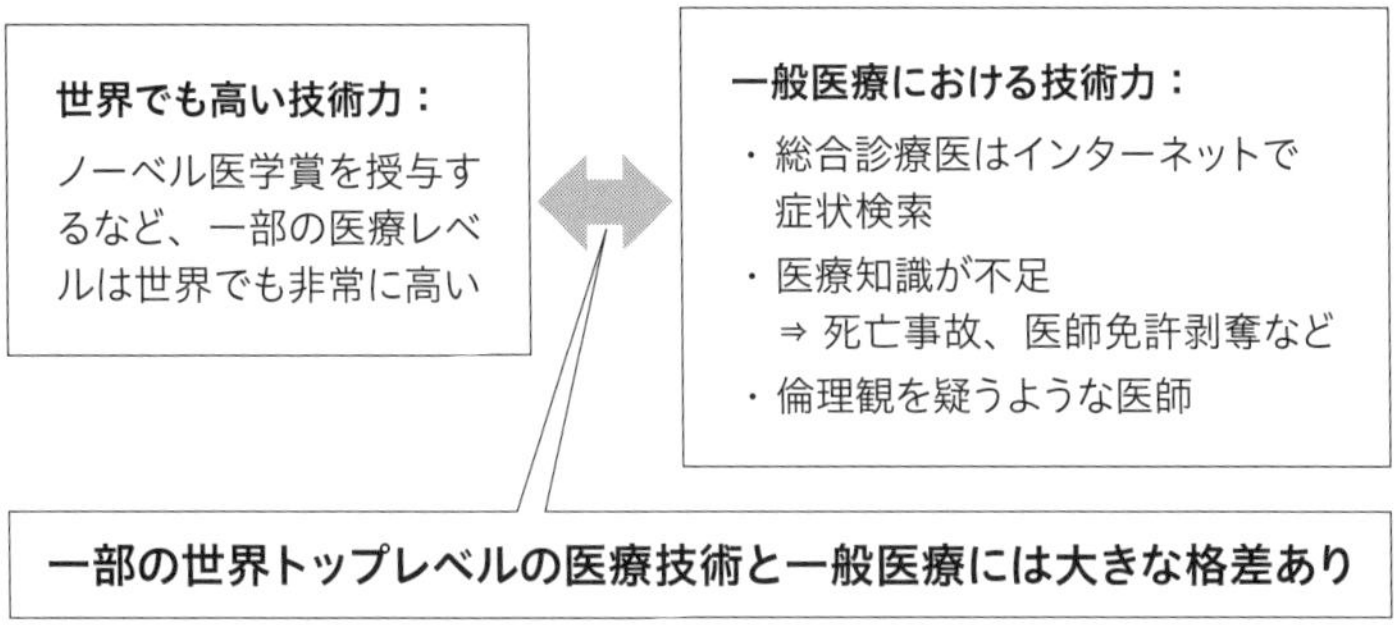
世界でも高い技術力：
ノーベル医学賞を授与するなど、一部の医療レベルは世界でも非常に高い
一般医療における技術力：
・総合診療医はインターネットで症状検索
・医療知識が不足
⇒ 死亡事故、医師免許剥奪など
・倫理観を疑うような医師
一部の世界トップレベルの医療技術と一般医療には大きな格差あり

中を曲げていないから注射針が刺さらないことはひと目でわかりましたが、その医師は原因がわからなかったとみえて、結局ベテランの医師に注射をかわってもらっていました。

またスウェーデンに住むドイツ人女性の話では、当時10代だった娘さんが急に腹痛を訴え緊急外来に行ったとき、担当した医師は原因がわからず、娘さんは市内の総合病院をたらい回しにされたそうです。最終的に原因が判明すると、お腹の中でキノコが繁殖していたのです。しかし診断結果が出るまでにあまりに時間がかかりすぎたため手遅れとなり、娘さんは下半身を切断するか、死ぬしか選択肢がないと告知されたそうです。結局娘さんは死を選びました。この女性はスウェーデン医療のひどさを泣きながら語ってくれました。

２０１８年9月の新聞『アフトンブラーデット』によれば、エステルイェートランド地方の医師が、医師免許を剥奪されました。[11] 高齢の患者が胸部の苦痛を訴えたにもかかわらず、痛み止めを処方し、理学療法士に診察を勧めたのみだったため、次の日に急性心筋梗塞で死亡してしまったためです。事態を重くみたスウェーデンの保険責任委員会（HSAN）[12]は、非常に能力不足で判断力にかける医師と判断し、医師免許を剥奪したのです。

2019年3月の公共ラジオSRでも、ヨーテボリ市の病院で非常勤として働いていた医師が、あまりに医療知識が不足しているため医師免許を剥奪され、さらに税法違反で懲役6か月を受けた事件を報道しています。[13] 同年9月にも、南部クロノベリ県の一般診療所で働く80歳の医師が、医師免許を剥奪されました。[14] この医師は、心不全で死亡した際、患者が救急病院への紹介状を書いている途中だったと虚偽の報告をしたためです。さらにこの医師はガンの診断の方法も知らず、患者のガン発見が遅れてしまう事態も引き起こしていました。

こうした事件はニュースで報道される一部の人の話ではありません。実際に私の知人も腹痛で病院に行ってから、ガン発見まで4年もかかりました。私もケガをして専門医で診察してもらったとき、詳しく調べずヘルニアと診断されたため、X線やMRIでもう少し詳しく調べてほしいと頼んだところ「スウェーデンでは初期のガンを発見しても特に治療することはない。それなのになぜヘルニアでX線やMRIをとる必要があるのだ」と耳を疑う返答をされました。

ノーベル医学賞を授与し、医療技術が高そうなスウェーデンですが、一般的な医師の技術力は、日本とは比較にならないほど低いのです。それに加え患者の病気を本気で治そうという気持ちが少なく、なかには倫理感の大きく欠如した医師もいるのです。

18 ノーベル医学賞選考の場で繰り返された実験的手術

２０１６年にスウェーデン公共テレビＳＶＴで、医療スキャンダル番組『実験（ザ・エクスペリメンツ）』が報道されました。多くの患者が実験的外科手術で死亡しているという衝撃的な内容です。このスキャンダルは２０１７年に日本のＮＨＫ ＢＳ放送でも、『カリスマ医師の隠された真実』[15]として放映され、スウェーデンの医療の問題が世界的にも知られるところとなりました。

この実験的手術を行っていたのは、イタリアの胸部外科医で、元再生医療研究者であるパオロ・マッキャリーニ医師です。毎年ノーベル医学賞の受賞者を決定するスウェーデンのカロリンスカ研究所で、２０１０年から非常勤客員研究員として働いていました。パオロ医師は患者の骨髄から採取した幹細胞を培養してプラスチック製の気管に付着させ、患者に移植する手法を開発し、「医学会に革命をもたらす」と賞賛されスター医師となりました。しかし実際には、患者が手術後に次々と死亡していたことが判明するのです。

２０１６年の英国テレビ局ＢＢＣによると、[16]２０１１年６月から２０１４年６月までにこの移植手術を受けた9人のうち7人が死亡、2017年にさらに1人の患者が死亡します。[17]唯一の生存者はプラスチック製気管を取り外した患者でした。また死亡した患者のうち4人は、規制の緩いロシアで手術が行われ、移植手術の必要がない患者ユリア・トゥリックも、2012年6月に移植手術を受け2年後に死亡します。この間パオロ医師は窮地に追い込まれますが、カロリンスカ研究所はパオロ医師の研究を継続し、2013年4月にまだ2歳だったアメリカ人の女の子ハナ・バーレンの手術も行い、3か月後に死亡させます。また2011年6月にはじめてのこの気管手術を受けた、イギリスのアンデマリアムも2014年1月に死亡、ついにカロリンスカ研究所の4人の医師がパオロ医師の手術結果に虚偽があり、公表されたデータに改ざんがあると内部告発するのです。

当時のカロリンスカ研究所アンダーシュ・ハムステン副学長は、ウプサラ大学病院の外部専門家であるベングト・ゲルディン医師に、パオロ医師の手術の調査を依頼します。調査の結果、内部告発はおおむね正しいと報告を受けたにもかかわらず、カロリンスカ研究所はこの報告書を無視し、パオロ医師との契約をさらに延長しました。しかしついに2016年9月スウェーデンの中央倫理審査委員会は、2014年にパオロ医師が学術雑誌『ネイチャー コミュニケーションズ』の記事で記した動物実験もさほど成功しておらず、研究に不正行為があったと裁定します。2016年、とうとうパオロ医師は解雇され、カロリンスカ研究所の理事会のメンバーも全員解任されました。ベルギーのルーベン大学呼吸器外科の教授ピエール・デレア博士は、「医学史の中で最も大きな嘘の1つ」だと言っています。この番組を制作したSVTプロデューサーのリンドクイストは、「今の医学界を惹きつけるためには、魅力的でノーベル賞受賞の可能性があり、多くの特許や会社に利益をもたらす医師が必要だ。パオロ医師はこの医学界の問題点にうまく入り込む能力に長けていた」と述べ、スウェーデンの医学界が利権と結びつき、そこにパオロ医師がうまく取り入ったと指摘しています。パオロ医師の研究助成金は、政府の研究助成機関であるスウェーデン研究評議会（VR）から出資されたものでした。

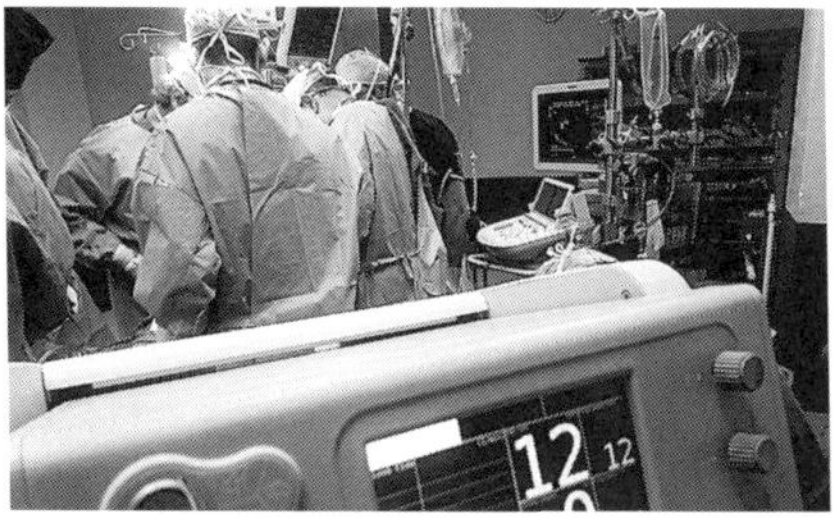

ノーベル医学賞の受賞者を決定するカロリンスカ研究所で一体なにが（写真はイメージ）
出所：Unsplash

2016年2月に医療ガバナンス学会の山本一道医師は、「これはマキアリニという類稀なる捏造魔が犯した異常な一例であるとはまったく思わない。今回の一件では告発者が刺し違えを覚悟して告発したように思われる節がありこのような展開になっているが、実際には権力や組織の前に闇に葬られる問題の氷山の一角なのであろうと考えている」と述べています。[18]スウェーデンのノーベル賞は「平和」のイメージが強いですが、水面下では利権がうずまき、人権や倫理に抵触してでも利益を追求する面もあるのです。ちなみに2018年12月のSVTによれば、パオロ医師はいまだ逮捕もされず、トルコのブルサの大学病院で医師として働いています。[19]

19 世界最先端の不妊治療と一般医療との大きなギャップ

最近はニュースなどで人口減少社会という言葉をよく聞きます。日本の2019年の出生数は86万5239人と90万人を割り、出生率も1・36[20]と低い値です。しかしスウェーデンは比較的早い時期から、経済的支援や育児休業制度を取り入れ、仕事と子育ての両立支援施策が進められてきました。そのためか2019年の出生率は1・70[21]と日本より高く、ここ数年は若干減少しているものの、2000年以降から2016年まではほぼ右肩上がりで出生児数が増加しています。実際に街でよく子ども連れの親子を見かけ、出生数が増えていることが肌で感じられます。

日本での少子化の原因は晩婚化、未婚化の進展によるものだと内閣府「平成16年版　少子化社会白書」[22]で指摘されています。しかし理由はこれだけではなく、日本は夫婦の5組に1組が不妊治療を行っている不妊大国でもあるのです。

不妊治療といえば、体外受精や卵子凍結、代理出産などがありますが、最近では新たな不妊治療として子宮移植が加わりました。その最先端の不妊治療を世界でリードしているのがスウェーデンです。2018年5月のNHK『クローズアップ現代』[23]では、2014年にヨーテボリ市にあるヨーテボリ大学病院で、世界初の子宮移植による出産が成功したことが報道されました。この成功は最先端の不妊治療として世界の注目を浴びました。母や姉など別の女性から子宮を移植しての出産が可能となり、世界ではすでに11の命が誕生しています。

日本でも慶應義塾大学のチームで10年前から研究が進み、動物実験に成功するなど技術は確立されつつあります。しかし倫理的に許されるかどうか議論が続いており、慶應義塾大学の木須伊織医師も「技術的にはすでにできる状態にあると思うが、日本ではまだ議論が必要です。社会全体で子宮移植が認められる必要があると思います」と述べ、日本では実施に慎重を期していることがわかります。

世界でも最先端の不妊治療、子宮移植を世界で初めて成功させたのは、ヨーテボリ大学病院マッツ・ブランストローム医師です。ヨーテボリ大学によると、[24]マッツ医師は2014年の子宮移植による出産成功の後、さらに簡単で短時間な手術を行うため、手術用ロボットでの子宮移植手術も開始しました。また最終的には幹細胞から子宮を作成したいと述べ、世界でも最先端の技術にさらに力を入れていることがわかります。

ただこうした最先端医療研究を行うためには多額の資金が必要です。そのため世界初の子宮移植を成功させたマッツ医師も多額の助成金を受けています。その助成金を支出しているのは、スウェーデンの大富豪一族ヴァレンベリ家が所有するクヌート・アンド・アリス・ヴァレンベリ財団（ＫＡＷ）です。ＫＡＷ[25]によるマッツ医師の紹介では、子宮移植で成功を収めていたマッツ医師は、２０１８年にヴァレンベリ臨床治療学者の１人として選ばれ、５年間で１５００万クローナ（約１億８０００万円）と多額の助成金を受けました。そしてロボット手術での子宮移植方法を研究し、幹細胞から子宮をつくるという最先端の研究を現在行っています。

また２０１６年にカロリンスカ大学病院での実験的手術が発覚したマッキャリーニ医師も、政府の研究助成機関であるスウェーデン研究評議会（ＶＲ）から多額の助成金をもらい、幹細胞を培養しプラスチック製の気管に付着させ移植する、世界最先端技術の研究を進めてきました。

このようにスウェーデンで最先端医療技術が生まれる理由の１つとして、将来的に利益があがるであろう医療技術には、ＶＲやＫＡＷから多額の助成金が与えられ、研究が進められていることがあげられます。さらに日本では慎重を期し、倫理的にも議論が十分なされる必要がある研究でも、スウェーデンは十分な倫理的な議論がされる前に研究が始まるため、世界でも最先端の医療技術研究が進み、世界に先駆けて導入されることが多いのです。その反面、政府が一般医療へかける支出は少なく、最先端の子宮移植手術を行うヨーテボリ大学病院でさえも、専門医に診察してもらうまでに長期間待つ必要があります。そしてときには人的ミスで患者が死亡する事故[26]も起きているのです。

スウェーデンの医療では、日本の医療で考えられないほど、先端医療と一般医療に大きなギャップが存在しているのです。

最先端医療と一般医療には大きなギャップが

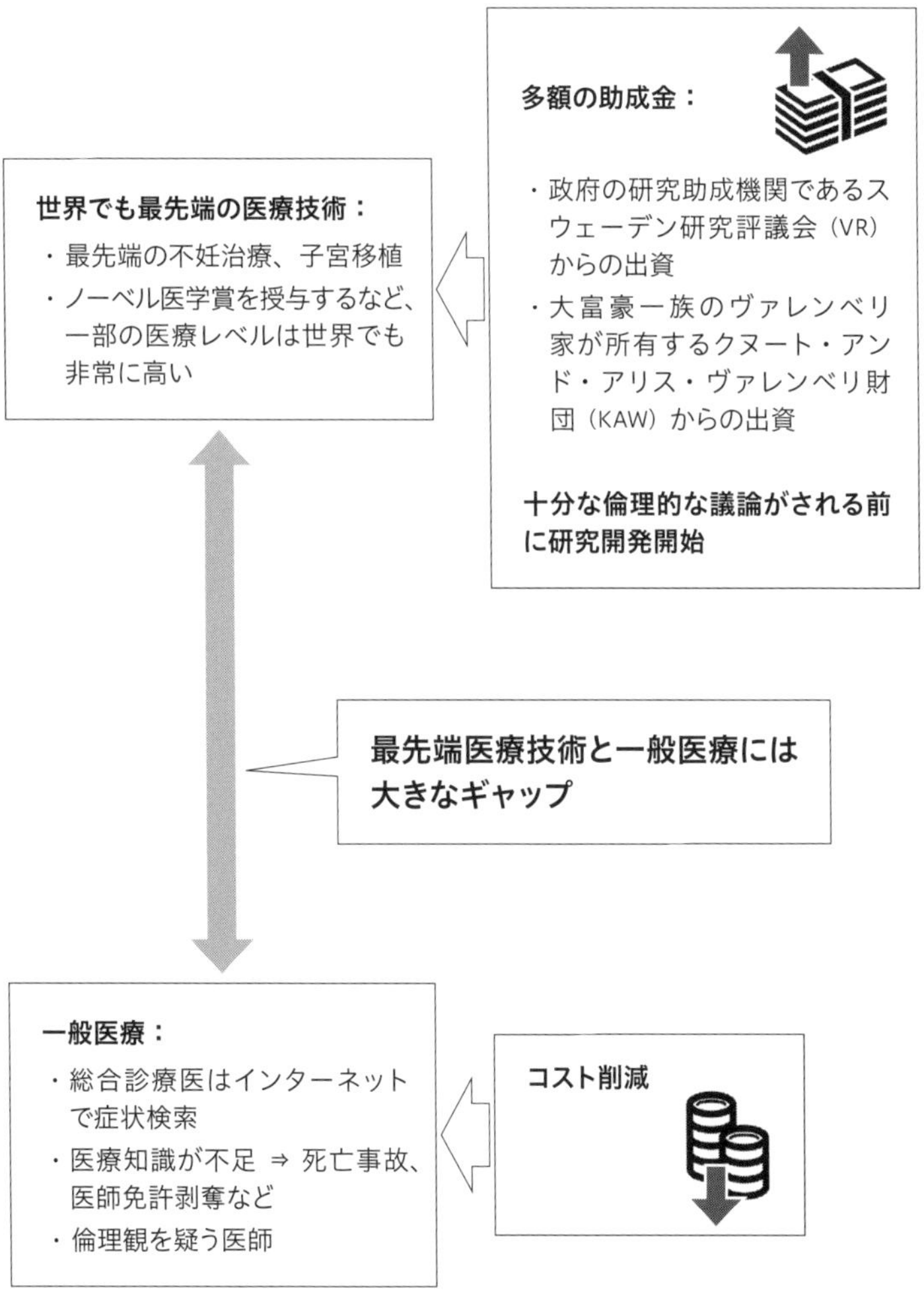
多額の助成金：
・政府の研究助成機関であるスウェーデン研究評議会（VR）からの出資
・大富豪一族のヴァレンベリ家が所有するクヌート・アンド・アリス・ヴァレンベリ財団（KAW）からの出資
十分な倫理的な議論がされる前に研究開発開始
世界でも最先端の医療技術：
・最先端の不妊治療、子宮移植
・ノーベル医学賞を授与するなど、一部の医療レベルは世界でも非常に高い
最先端医療技術と一般医療には大きなギャップ
一般医療：
・総合診療医はインターネットで症状検索
・医療知識が不足 ⇒ 死亡事故、医師免許剥奪など
・倫理観を疑う医師
コスト削減

20 孤独、貧困からの自殺も多い高齢者の実態

スウェーデンの高齢者住宅は、一般住宅、高齢者向けの一般マンションとしてのシニア住宅、介護度が軽度の高齢者向けバリアフリーの安心住宅、24時間介護職員が常駐している特別住居の4種類にわけられます。スウェーデンの多くの高齢者は、自宅の一般住宅に住み続けることが多いです。[27]

私の近所にも80歳くらいのお婆さんが一般住宅に一人暮らししていますが、足が悪いため、外出するときはいつも介護士が付き添っています。スウェーデンでは各自治体が高齢者介護に対する独自の料金を決め、費用は提供される援助のレベルや種類、個人の収入などによって変わってきます。居宅介護や日中の活動の援助、その他特定の種類の介護への限度額は、1か月あたり2125クローナ[28]（約2万5500円）までとなるため、それほど介護費用を心配する必要はありません。そのためこのお婆さんのように、一人暮らしの居宅介護を受ける高齢者が多くいるのです。また一般的に、スウェーデンでは「自立した個人」を尊ぶ文化があり、できるだけ最後まで自分の家で自分の力で暮らしたい、また暮らしてほしいという考え方[29]からも、多

くの高齢者が１人で自宅暮らしをしています。

ただこのお婆さん、介護士と一緒にいるのはよく見かけますが、家族が訪れているのを見たことは一度もありません。そのためかいつもお婆さんは寂しそうに歩いています。また見るたびに違う介護士が付き添っており、新しい介護士との会話に苦労しているようです。２０１９年1月の『ヨーテボリ新聞』には、ある居宅介護の高齢者は2週間で16人、5年間で２２８人も介護士が変わり、高齢者が介護士に信頼を持てないという記事[30]がありました。スウェーデンでは介護士のローテーション制度を取り入れ、コスト削減を行っているため、高齢者と介護士の信頼関係が築きづらいのです。

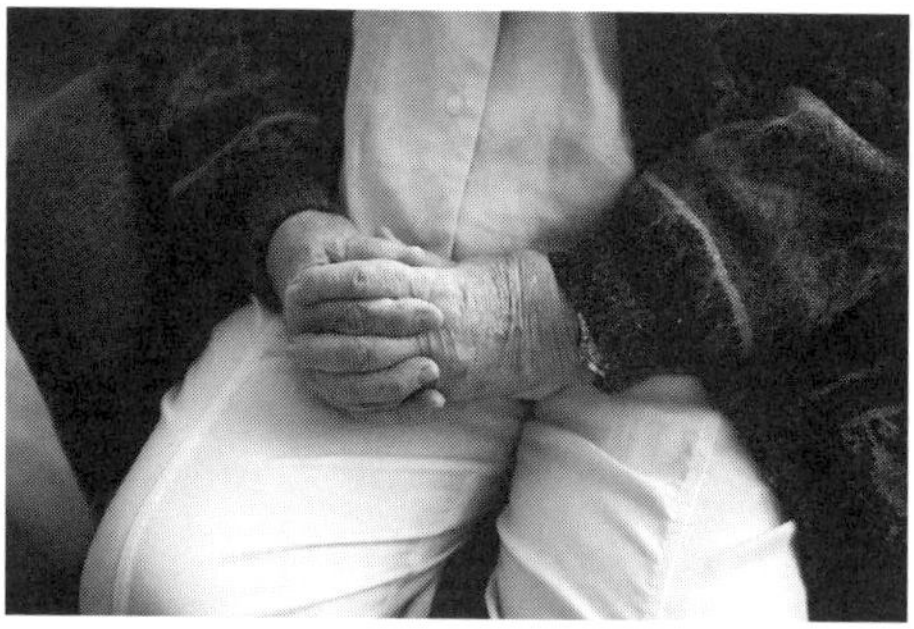

孤独な生活を送る高齢者は多い
出所：rawpixel

一人暮らしの孤独な高齢者の話は、日本より核家族化が進む[31]スウェーデンではよく耳にします。２０１９年の全国保健福祉委員会の全国調査[32]によれば、高齢者介護を受けている10人のうち6人が孤独に悩まされており、ストックホルム郡シグテューナ市の高齢者住宅に住む高齢者にいたっては、80％もの高齢者が孤独を感じていると答えています。[33]

２０１９年の新聞『アフトンブラーデット』によると、[34]スウェーデンには２００万人の年金受給者が住んでいますが、多くの高齢者が地域社会とのつながりが希薄だそうです。また65歳以上の高齢者のうち3人に1人が一人暮らしで、高齢女性のうち半数が、可処分所得が1万1000クローナ（約13万2000円）未満の貧困年金受給者区分に含まれています。さらに65歳から80歳までの高齢者の約10％が抑うつ症状にあり、こうした生活状況が精神的、肉体的にも健康障害を引き起こして、死を早める要因となっていると指摘されています。

2017年10月のメディアサイト『ニュース55』によれば[35]、高齢者の自殺の主な原因は孤独で、多くの高齢者が精神疾患に苦しんでいるそうです。特に80歳以上の男性の自殺率は、他の年代と比べて最も高くなっています。日本はよく自殺が多い国だといわれ、たしかに2018年のOECDの統計[36]によれば日本が7位（10万人あたり14・9人）、スウェーデン17位（11・4人）と日本のほうが全体的な自殺率は高いです。しかし高齢者だけを比較した場合、2019年の日本の60歳以上における高齢者の自殺率が18・3人[37]であるのに対し、スウェーデンの65歳以上の自殺率は19・4人[38]と、統計年齢層は異なるものの、スウェーデンの高齢者のほうが自殺率が高いのです。

「ゆりかごから墓場まで」と言われるスウェーデンでは、たしかに介護費をあまり心配することなく、老後を迎えられます。しかし核家族化が日本以上に進んでおり、孤独な生活をおくっている高齢者は多く、実際に日本以上に高齢者の自殺率が高いという実態もあります。そのため、老後の生活は政府が面倒を見てくれるから安心だと一概にはいえないのです。

21 高齢者介護施設で餓死 民営化により次々起きる事件

２０２０年の日本の総人口は１億２６０２万人[39]と、前年に比べ30万人も減少しました。しかしその一方で、65歳以上の高齢者人口は３５８８万人と、前年に比べ32万人も増加し、高齢者の総人口に占める割合は28・４％と過去最高[40]となりました。日本は超高齢社会に突入し、着実に人口減少への道を進んでいます。そして介護老人福祉施設（特養：特別養護老人ホーム）の利用者は、２０２０年度には約65万人[41]と２０００年の倍以上にもなっています。

そこで気になるのが高齢者介護施設での生活です。施設でうまくやっていけるのか、介護士とよい関係を持って暮らしていけるのかということです。

最近は高齢者介護施設での暴行や虐待事件が報道され、不安になる高齢者も多いはずです。２０１９年に、品川にある有料老人ホーム「サニーライフ北品川」で、元職員が入所者の男性を暴行して殺害した事件[42]や、同年10月に鹿児島の日置市の有料老人ホームで、元職員が入所している77歳の女性の顔に肘打ちなどの暴行をした事件[43]など、高齢者介護施設での事件が後をたちません。それでは福祉大国スウェーデンの高齢者介護施設では何も問題は起きていないのでしょうか？

スウェーデンでは2011年にカレマスキャンダルと呼ばれる、社会に衝撃を走らせた事件が起きました。このスキャンダルは国内大手の高齢者介護施設、カレマのずさんな実態が表面化した不祥事です[44]。ベンチャー企業であるカレマは投資家の収益重視の運営を行い、サービスの質を下げてまでコスト削減を行っていました。人件費節約のために、夜は入所者をベッドに縛り付けたり、オムツ交換も一定の重量になるまでしてはいけないという指示も出していました。公共テレビSVTによれば[45]、北部のウメオ市に住む86歳の男性は、発作で3回倒れましたが、カレマの高齢者介護施設は病院に連れてもいかず、娘さんが発見したときには腰と肩、手首を骨折していました。さらに車椅子に縛られていたことや、栄養不足のため、体重が短期間で14キロ減っていた事実も判明しました。こうしたカレマの一連の事件は入所者の親族が告発し、また口止めされていた従業員たちも、次々と不正を内部告発したことで明らかになったのです。日本のニュースでは高齢者介護施設での高齢者へ虐待が報道され問題視されますが、スウェーデンでも同様な事件は多く起きているのです。

ずさんな高齢者介護施設はカレマだけではありません。2018年の公共テレビSVTが報道したところによると[46]、北部シェルレフテオ市にある高齢者介護施設に入居した男性が、入居してわずか12日後に餓死する事件まで起きています。

労働組合誌『コミューナルアルベーテン』によれば、高齢者介護スタッフの30％から40％が

スウェーデンの高齢者介護は全てバラ色というわけではない

1992年の「エーデル改革（高齢者介護改革）」

↓

・**高齢者福祉が民営化**され、
　高齢者介護の業務は県から地方自治体へ
・**民間企業への業務の委託**

↓

高齢者介護施設
・投資家の収益重視の運営
・サービスの質を下げてまでコスト削減

↓

高齢者虐待というスキャンダル発生
フィンランドでも高齢者介護施設の民営化により同様のスキャンダル発生

結果：
エーデル改革後の民営化によるコスト重視により、高齢者サービスの低下を招き、高齢者虐待にまで及ぶスキャンダルにまで発展

基礎教育を受けておらず、認知症や高齢者の移動方法、異常時の報告方法の知識が不足している職員が多くおり、医療ミスや治療の遅れ、投薬ミスなど大きな問題を引き起こしているということです。[47]

スウェーデンでは1992年の「エーデル改革（高齢者介護改革）」以降、高齢者福祉が民営化され、高齢者介護の業務は県から地方自治体へ移行、高齢者の特別住宅が整備されました。民間企業への業務の委託が広まりましたが、民営施設への公的監視は厳しくされてきませんでした。

さらに国も地方自治体も、施設の質の向上や運営の透明性に十分に目を向けてこなかったため、高齢者介護施設で多くの事件が起きてしまったのです。またスウェーデンだけではなく、福祉国家として有名なフィンランド[48]でも、2019年に民間の高齢者介護施設で入所者への虐待や、不審死が相次いで起きていたことが発覚し、大きなスキャンダルとなりました。

スウェーデンの高齢者介護に日本が見習うべき点はたしかに多々あります。しかし、だからといって、スウェーデンの高齢者介護は、日本人が思い描くように幸福で満ち溢れているばかりではありません。

特にエーデル改革後の民営化によるコスト重視により、サービスの低下を招き、人道的に許されないような事件も、数多く起きているのです。

22 高齢女性の半数は貧困年金受給者という事実

日本は現在、少子高齢社会に突入しています。将来年金を受給できるのか不安で貯蓄をしている人も多いはずです。それではスウェーデンでは老後への備えとして貯蓄をする必要もなく、高齢になっても安心して過ごせるのでしょうか？

スウェーデンの年金制度は、基礎部分の国民年金と付加部分の職業年金、個人年金の3つから構成され、それぞれが独自に機能しています。年金制度の基礎には国営年金機構の運営する国民年金があり、所得比例年金と最低保障年金を組み合わせたもので、全ての国民が対象です。職業年金は雇用主と共済組合が職業年金協定を結び被用者の保険料を雇用主が支払います。主要な職業年金協定は4つあり、地方自治体の職員、公務員、民間の事務職または雇用労働者が対象です。退職後は組合から年金を受け取ります。個人年金は銀行や保険会社、投資信託が運営を行っており加入は任意で、株式やファンドなど投資先を選択でき、投資先により年金受給額も変わります。最近は運営先によってはインターネット上からでも投資先を選択できるようになりました。

スウェーデンでは決まった定年がないため、62歳から67歳の間に自分で年金受給開始年齢を選べますが、自分で申請をしない限り年金は受給できません。国民年金の受給が可能な年齢は62歳から、最低保障年金は65歳から、職業年金の場合は職業年金協約によって年金開始年齢は違いますが、通常65歳になると会社からいつ受けたいか連絡を受けます。個人年金は最も早くて55歳からの受給が可能となっています。[49]

スウェーデンでも少子高齢化は問題となっており、さらにリーマンショック以降の経済の悪化や、移民の急増による財政悪化の影響を受け、公的年金制度は行き詰まっています。[50]２０１９年のニュースサイト『ザ・ローカル』によれば、年金受給年齢の引き上げを行う年金制度変更が提案され、国民年金の受給年齢は２０２０年に、61歳から62歳に引き上げられました。[51]政府はその理由を、今までよりも健康的な生活を送る高齢者が増えてきたためだと述べています。たしかに世界保健機関（ＷＨＯ）の統計[52]では、２０１６年のスウェーデンの平均寿命は82・３歳と短くはありません。しかし世界でも一番の長寿国である日本の84・２歳と比べると短く、世界でも12番目です。また健康寿命も、世界で16番目の72・４歳であり、２位の日本74・８歳と比べるとやはり短く、世界でも飛び抜けた長寿国ではないのです。そのためスウェーデン国内で、この年金受給年齢の引き上げ案は、健康である間に年金を受給できる年数が短くなるのではないかと、国民に不安をもたらしています。

現在のスウェーデンの年金制度は、被保険者であったときの所得に応じて保険料も受給額も決まる所得比例制度です。この制度下では現役時代の所得が多い人ほど受給する年金も多くな

スウェーデンの年金制度は3段階

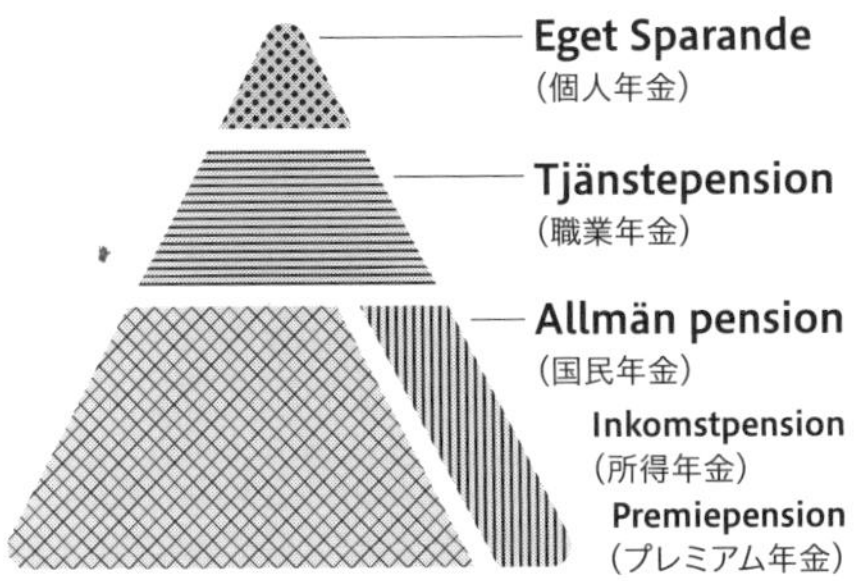

出所：pensionsmyndigheten
税務署　https://www.pensionsmyndigheten.se/

るため、働いていた時期に所得が高額であった人は定年後も年金は高額で、低所得者であった人は定年後に受ける年金は低額となります。そのため悠々自適な老後生活をおくれる人がいるかたわら、生活に余裕のない人もいるという、定年後の格差を生んでいます。また男女平等社会といわれるスウェーデンでも、実はいまだ男性が優遇される社会であり、管理職に就く女性も多くありません。労働市場・教育政策評価研究所（ＩＦＡＵ）は、子育てのためにパートとして働く女性が多くおり、女性の平均収入は男性の平均年収より低く、[53]そのため最初の子どもが生まれてから、15年後の父親と母親の収入差は、約32％も開いてしまいます。そして多くの女性が、定年後は最低保障年金に頼る状況でもあるのです。さらに２０１９年の新聞『アフトンブラーデット』によれば、65歳以上の高齢女性のうち半数は、所得が１万１０００クローナ（約13万２０００円）未満の貧困年金受給者です。[54]一見、老後の心配がなさそうなスウェーデンですが、現実としては日本と同様に公的年金だけには頼れず、不安を抱えている人も多くいるのです。

23 政府による命の選別が発覚したコロナ政策

２０１９年12月31日に中国の湖北省武漢市で、原因不明の肺炎のクラスター（感染者の集団）が確認されたことから、世界各地へ新型コロナウィルスが爆発的に広がるコロナ危機[55]が始まりました。１月31日に中部のヨンショーピング市ではじめのコロナ患者が発見されて以降、スウェーデンではコロナ患者数が急増していきました。しかしスウェーデン公衆衛生局はスウェーデン国民が当局の勧告に従う伝統性があるとし、レストランやバー、フィットネスクラブも通常営業させ、学校閉鎖もせず、マスク使用も強く推奨しないなど、世界の国々と反対のコロナ対策をとっていきます。そして本書執筆時点（２０２０年10月24日）におけるスウェーデンのコロナ患者数は11万５９４人、死者数５９３３人、人口１００万当たりの死者数は５８６人にものぼり、人口当たりの死者数では、日本の45倍も高く、世界でも16番目、５月の１週間においては世界で最も死者数が多い国[56]となってしまったのです。

多くの死亡者が発生した原因の１つに、公衆衛生局による集団免疫戦略があります。世界のコロナ戦略と反するこの集団免疫戦略は、世界のメディアでも注目をあびました。しかし実はコロナ感染が始まった当初、公衆衛生局は集団免疫が戦略でないと常々語っていたのです。[57]ですがコロナの感染が拡大するにつれ、いつの間にか公衆衛生局は集団免疫獲得が唯一の方法であるかのように、これまでと反対の発言をしだしたのです。実はスウェーデンではこうした過去と異なる発言や、責任を感じられない発言がされることは多々あります。コロナ危機中だけでも、3月12日に政府は全ての学校閉鎖をしないと発表し、[58]15日には国境閉鎖しないと発表[59]しましたが、2日後の17日に政府は国境閉鎖を決定し、[60]さらに大学や高校、職業学校の閉鎖[61]をすると数日前の発言と全く反対の決定を下したのです。また3月22日にロベーン首相は国民へ向けたテレビ演説[62]を行いました。スウェーデンの憲法ではコロナ措置への最終的な責任は政府[63]にありますが、首相はこのテレビ演説[64]で、政府の責任は述べていないもののコロナ感染拡大防止責任は国民一人ひとりにあると公然と発表しました。さらに3月15日にロベーン首相は高齢者保護を強く語っていましたが、[65]実際には高齢者施設でコロナが感染拡大し、[66]死者のうち90％以上が高齢者[67]と、首相の発言と全く反対の最悪の状況を招いたのでした。驚くべきところはこれだけではありません。3月にレナ・ハレングレン社会大臣は集中治療室数を増加させると発言、[68]社会庁も集中治療室の空きがあると、[69]あたかも医療崩壊の心配はないような発言をしていました。しかし4月23日の公共テレビSVTによると、ストックホルムの地域では80歳以上の高齢者や、1つ以上の全身疾患がある患者はどんなに集中治療室が空いていたとしても、集中治療室には搬送しないガイドライン[70]の存在が発覚しており、そのため常に空きがあったのです。発言の矛盾を超えて、政府による意図的な命の選別が発覚したのです。

公衆衛生局の統計データの信ぴょう性を疑う点も出てきました。公衆衛生局が集団免疫戦略をとる根拠の1つに、ストックホルムでの免疫保持者が人口の約3分の1にまで達しているデータがあると発表していましたが、実際はほんの7・3％[71]しかなかったのです。また公衆衛生局は多くの国民が当局の指示に従う国民性だとしコロナ規制を設けませんでしたが、4月19日の新聞『アフトンブラーデット』[72]によれば、多くの人たちがバーやナイトクラブへ遊びにでかけている実態も判明したのです。

また政府はコロナ危機開始早々3月4日に、企業を守るため短時間労働導入で賃金削減可能な制度を発表[73]、16日に3000億クローナ（約3・6兆円）もの企業支援措置を決定[74]しましたが国民への給付金はありません。さらにスカンジナビア航空が1万人の一時解雇[75]をするなど、3月1日からの約1か月半だけで5万6000人以上もの労働者が解雇通知を受けました[76]。不況下で政府は企業重視であり、企業も真っ先に従業員を切る企業体質もみえてきたのです。

これまで人権尊重・公平平等を強く謳い、世界に人権国家としてアピールしてきたスウェーデンですが、国民を守るための具体的なコロナ対策は設けられず、世界でも非常に多い感染者・死亡者を生み出しました。さらに高齢者や全身疾患のある患者は、どんなに集中治療室が空いていても搬送しないという驚くべきガイドラインの存在も発覚[77]し、人道主義・公平平等とは非常に言い難い実態が明らかになったのです。

4章

教育レベルとともに下がる子どものモラル

24 資格を持たない保育者の増加と広がる教育格差

日本では2016年に「はてな匿名ダイアリー」に寄せられた「保育園落ちた日本死ね」と題した投稿が大きな反響を呼びました。小さなお子さんのいる家庭にとって、保育園や幼稚園に入園できるかどうかは大きな問題です。スウェーデンも共働きの家庭が多く、幼稚園と保育園が一体化している保育所に子どもを入れる家庭は多いです。保育所には1歳から5歳までの子どもが通うことができ、費用は世帯収入に基づいて計算されます。3歳未満の子どもの場合は1478クローナ（約1万7700円）以上、3歳以上の子どもだと986クローナ（約1万1800円）以上が無料です。[1] 保育所への申請方法も簡単で、住んでいる自治体のホームページから、通わせたい地区の保育所、もしくは特定の保育所を選択し申請できます。申請を受けた自治体は、4か月以内に子どもを入園させる必要があります。6か月前から申請が可能なため、早めに申請をしておけば保育所待ちをすることはあまりありません。

ただスウェーデンの保育所も日本と同様に保育士不足に悩まされ、ヨーテボリ市では2017年には300人の保育士が足りていませんでした。[2] 市内にある人気のある保育所で

幼児教育は問題点だらけ

- **60％もの職員が保育資格を持たず**保育所勤務の実態
- 難民の多い地区など経済的に裕福ではない地域での保育所の質の低下
- 地域により保育所の質の**大きな格差**
- **犯罪者を保育士として雇用**するような法律の問題点
- 幼児教育の低下を招く

はなかなか空きが見つからず、なかには自宅から40キロも離れた保育所を割り当てられた人もいます。また保育資格のない職員の割合が非常に高く、スウェーデン教育庁によると2017年には、60％もの職員が保育資格を持たず保育所で働いています[3]。ストックホルムにおいては74％もの職員が保育免許を持っていません[4]。中部ヴェストマンランド県では職員の誰一人保育免許を持っていない保育所さえもあるのです。日本の全国保育協議会による2016年の調査[5]では、日本で保育士資格を持たない保育補助者の割合は5・3％でした。日本と比較すると、スウェーデンの保育所では、いかに多くの職員が資格なしで働いているかがわかります。

資格を持たない職員が多いことはスウェーデンでも大きな問題となっており、保育所職員の教育レベルが低いことがよく指摘されます。さらに保育所の質は、地域により大きな格差[6]があり、スウェーデン人が多い地域では比較的よい保育所が多くありますが、移民や難民が多く住む、経済的に裕福でない地域では、質が下がる傾向にあります。移民が多い地域に住むあるアフリカ系スウェーデン人の話では、子どもが何度もケガをして保育所から帰って来るので、心配で保育所に相談に行きましたが、保育士から、ケガのレポートを残していないから詳細はわからないと言われたそうです。今後レポートを残してほしいと頼みましたがその後もレポートは残されず、子どもがいまだにケガをして帰ってくると怒っていました。このように地域により保育所の質に大きな格差があるのです。

保育所の質以前に、保育士が犯罪者であることもあります。公共放送ＳＶＴによると、２０１４年に南部ヘーグビー市の21歳の保育研修生が、14人の子どもに性的虐待を行っていた事件が発覚しました。[7] ２０１９年に起きた事件[8]は、ストックホルムの保育士が犯罪集団とつながりを持ち、過去に薬物や脅迫で有罪判決を受けていたにもかかわらず保育所で雇用され、2年間働いていました。さらにこの保育士は保育所で働いていた期間も、麻薬犯罪や武器犯罪で有罪判決を受けていたのです。法律では殺人や性犯罪、加重暴行罪など重犯罪のみが雇用主に通知されるため、保育所はこの職員の犯罪歴について何も知らず、この男が殺害されたことで、事実が発覚しました。こうした事件からは保育士の質や資格の有無以前に、教育現場でも犯罪者を受け入れることができてしまうスウェーデンの法律の問題点も浮かびあがってきます。

全体を通しスウェーデンの保育所は悪いとはいいません。ただ保育所には資格を持たない職員が多く、それが保育所の質の低下や幼児教育の低下を招いている実態もあるのです。

25 ゆとり教育の弊害で下がり続ける教育レベル

日本ではスウェーデンの児童教育について、子どもの権利の尊重や民主的価値観育成、アウトドア教育など、ゆとり教育のよい面ばかりが多く紹介されています。ただ物事には表と裏があります。日本ではスウェーデン教育の裏の面はほとんど伝えられていません。現実のスウェーデンの初中等教育は、実は教育レベルの低さや子どものモラルの低下、教師不足という深刻な状況下にあるのです。

私の家の近くにいくつか小学校があります。お昼の休憩時間に小学生たちが公園にやってきますが、モノをもってはしゃぎまわるため、いつ小さな子どもとぶつかりケガをするのではとハラハラのし通しです。ときどき先生が同行しますが、子どもの大半は先生の言うことを聞きません。スウェーデン人の友人に聞くと、ゆとり教育で子どもの個性尊重や権利ばかり話すので、子どもが先生の言うことを聞かなくなっているのだといいます。またスウェーデン人の小学校教師の話では、親からのクレームの電話が毎日10本以上きて、その対応だけで精いっぱいだとのことで、日本のモンスターペアレント以上に苦労しているようです。そうした状況からかスウェーデンでは小中学校の教師になりたい人があまりおらず、教師不足に悩まされています。さらにスウェーデン人教師から聞いた話では、多くの学校で教師免許のない教育実習生を教師として雇っているとのことです。実際に、スウェーデン教育庁によれば、2019年では小中学校で教えている教師のうち70・5％しか教員免許を持っていません。[9]また一部の親は学校教育より家族余暇のほうが大事だと、平気で子どもを休ませてスキーなどの家族旅行に連れていきます。年配のスウェーデン人は、こんな状況は昔では考えられず、ゆとり教育がいきすぎだと嘆いています。

実際にスウェーデンのニュースサイト『ザ・ローカル』では、「2001年のPIRLS（国際読書力調査）のリテラシー研究では、スウェーデンの10歳が全ての参加国の中で最高だった。しかしそれ以来結果は落ちており、ほとんどの国際ランキングは着実に長期的に低下している。OECDは、PISA（国際学習度到達調査）ランキングによる2013年の結果からスウェーデンが『道を失った』と説明した」と伝えています。[10]また日本の国立教育政策研究所の「OECD生徒の学習到達度調査（PISA2015）のポイント」における、OECD加盟国（35か国）における比較では、

科学的リテラシー分野：1位日本、3位フィンランド、15位以下にスウェーデン

読解力分野：2位フィンランド、6位日本、14位スウェーデン

数学的リテラシー分野：1位日本、8位フィンランド、15位以下にスウェーデン

スウェーデンにおけるPISA2015, PISA2018結果と
新聞『エクスプレッセン』調査による実際の学習力比較

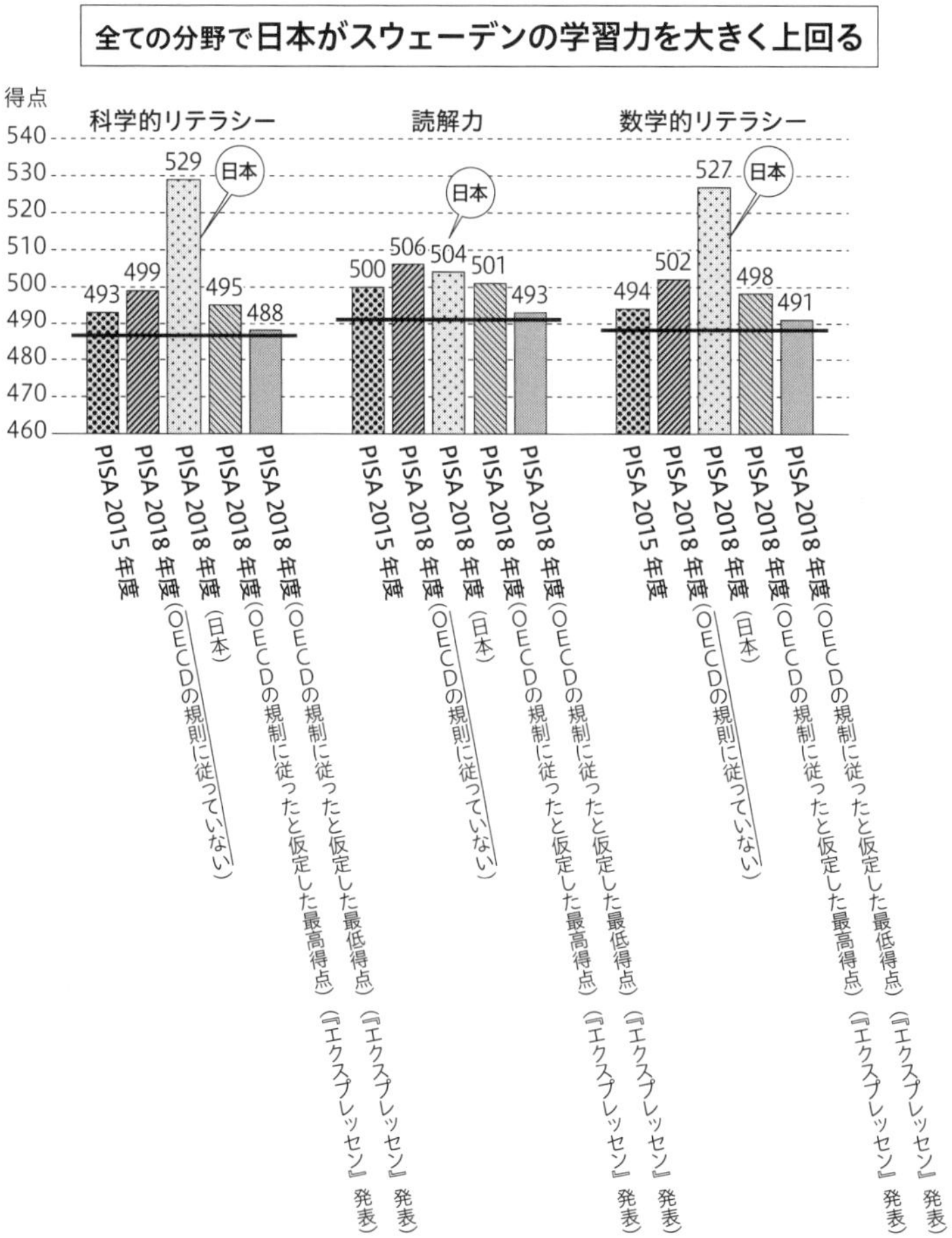

出所：国立教育政策研究所　OECD生徒の学習到達度調査2018年調査（PISA2018）のポイント
https://www.nier.go.jp/kokusai/pisa/pdf/2018/01_point.pdf

となっています。

ＰＩＳＡは義務教育修了段階の15歳児の生徒が持っている知識や技能を、実生活のさまざまな場面で直面する課題にどの程度活用できるかを評価するものですが、どの分野をとってもスウェーデンは日本より評価が低く、ＯＥＣＤ全体でも高い水準では決してありません。

ただ２０１８年の学習到達度調査では全体的に学力が向上し、読解力においては日本より高い値となりました。しかし２０２０年の新聞『エクスプレッセン』によると、[11] スウェーデンはＯＥＣＤの規則に違反し、２０１８年度の学習到達調査に大きな誤魔化しがあったことが発覚しました。ＯＥＣＤの規則では、１年以内に移住してきた生徒は、ＰＩＳＡの学生到達度調査から除外することが許されていますが、スウェーデンは1年以上スウェーデンに滞在する移民・難民も調査から除外し、学習到達調査の評価結果を引き上げていたのです。本来のＯＥＣＤの規則に基づき調査をした場合、実際のスウェーデンの学習到達得点は２０１５年の得点と同じか、もしくはさらに悪くなっていると記事は伝えています。スウェーデンの教育水準は高いとは決していえず、さらにその低い教育水準の誤魔化しまでする実態があるのです。

よく北欧の教育水準が高いといわれますが、それはフィンランド教育のことであり、スウェーデン教育ではありません。また日本も１９８０年度（狭義では２００２年度以降）から２０１０年代初期まで、ゆとり教育が導入されましたが、この間には日本のＰＩＳＡにおける順位も目に見えて落ちていき、現在は脱ゆとり教育となっています。

26

教育現場に「競争原理」を導入した教育改革の失敗

6月になると白い服に白い帽子をかぶり、笛を吹いたり歌を歌ったりしながら街なかで卒業を祝う高校生の姿を見かけます。スウェーデンでは18歳で成人し、無事教育を終了すれば社会人デビューになるため、いわば高校の卒業式は日本の成人式のようなものです。なかにはクラスでトラックを貸し切って街中でパレードを行い、盛大にお祝いをする高校生たちの姿もあります。スウェーデンの高校は義務教育ではないので無償ではありません。また、日本のような入学試験もなく、日本の中学校にあたるグルンドスコーラの成績を元にして入学の可否が決まります。大学においても入学試験などはなく、高校での最終成績と全ての課程修了後に受ける国家試験の点数によって、進学できる大学やコースが決まります。

２０１７年の公共放送ＳＶＴによれば、この国家試験は学校により試験開始時間が異なるため、ソーシャルメディアなどを使った生徒同士による事前の試験内容の交換が頻繁に行われていることが発覚しました。[12] また、教師組合の調査では、国家試験で生徒がよい成績をとるように９％もの教師が不正行為を許容していたのです。とても教育者の行動とは言えない倫理観の欠如した教師の実態があります。

また高校も初中等教育同様に教師不足に陥っています。スウェーデン教育庁によると、高校で教員免許を持つ職員は2019年で81・4%[13]しかいません。教育を受けた有能な教師の不足が、教師の質の低下を招いているのです。2019年のOECD統計によると、日本では97・55%（OECD41か国中2位）の学生が高校を卒業しているのに対し、スウェーデンでは69・46%しか卒業できていません。この高校卒業率は、OECDの平均86・23%[14]を大きく下回り、OECDで33位とかなり低い数字です。

また高校を卒業しても多くの生徒が大学に進学できていません。新聞『アフトンブラーデット』は、高校を卒業した3分の1の生徒が大学に入学できず、その原因は義務教育時代に十分な知識をつけられなかったためだと指摘しています。[15]中学校から高校への進学率も低く、ストックホルムのリンケビュー中学校では、半分以上の卒業生が高校へ行く資格がないほど教育水準が低いのです。[16]

スウェーデン教育の質の低下は、1990年代に行われた教育現場へ競争原理を導入する、教育改革がもたらしました。[17]それまでの教育は、国家による中央計画の下で行われていました。しかし教育改革により、地方自治体や個々の私立学校に経済・社会的責任を任せる地方分権政策がとられ[18]、その結果教育サービスの質が地方自治体によって異なるようになり、地域間格差と教育の低下を招いたのです。またフリースクール制度を導入したことで、人気のある

教育改革はなぜ失敗したのか

高等教育の実態：

・教育水準の低下
・OECD平均よりも低い高校卒業率：
（義務教育時代に十分な知識をつけられないため）
・高校で教員免許を持つ職員不足
・教師の質の低下

根本的な原因の背景

1990年代
教育現場に**「競争原理」**
を導入する教育改革

1990年代の教育改革以前は
教育は国家による中央計画

地方自治体や個々の私立学校に
経済・社会的責任を任せる地方
分権改革

結果：

・教育サービスの質が地方自治体により異なり、**地域間格差**と**教育の低下**を招く
・**フリースクール制度導入**：人気のある学校と人気のない学校の格差を招く
・**教師にも成果主義導入**：有能な教師は都市部や優秀な生徒が通う学校に集まり、地方の学校や成績のよくない生徒が多い学校には、有能な教師が集まらない状況を招く

学校と人気のない学校の格差が発生し、人気のある学校には生徒が集まる一方で、人気のない学校にはなかなか生徒が集まらない状況に陥ってしまいました。特に移民の子どもが集まる学校は、スウェーデン人に避けられ大半を移民の生徒が占めることとなり、学校間の格差が生まれたのです。さらに成果主義の競争原理を教師の間にも導入したことで、教師は学校長の顔色を伺うようになり、自由な教育を行えなくなりました。そして有能な教師は都市部や優秀な生徒が通う学校に集まり、地方の学校や成績のよくない生徒が多い学校には、有能な教師も集まらない状況を生んでしまったのです[19]。

２０１７年6月の『ヨーテボリ新聞』によると[20]、ヨーテボリ市内で高校の卒業式を終えた５００人以上の高校生が、２日にわたり警察に向けて投石やロケット花火を発射し、逮捕者も出る大きな暴動が起きました。記事は、この暴動が学校格差による不満から生じたのではないかと伝えています。また教育への不満からか、２０１３年に中部ベステルオース市の高校では、コーヒーに毒を盛り、教師を殺害しようとした事件や放火殺人未遂なども起きています[21]。

90年代の競争原理を導入した教育改革は、教育の低下と教育の格差を生み、犯罪まで引き起こす失敗改革なのです。日本でも学校選択制度を導入する自治体が増えていますが、スウェーデンの二の舞にならないようにしてもらいたいものです。

27

留学生への環境整備はよいイメージを植え付ける国家戦略

スウェーデンにきてから何人もの留学生に会いました。スウェーデンにはヨーロッパ各国やアメリカ、アジア、アフリカ、ラテンアメリカとさまざまな国々からの留学生がやってきます。もちろんその中に日本からの留学生もいました。留学生たちは、スウェーデンの大学は国際的でオープンな雰囲気で、学生寮も完備され、のびのびと勉強ができるといっています。実際に学生寮に行ったこともありますが、日本のワンルームマンションのようなきれいなつくりで、とてもオープンな雰囲気でした。また学生寮の多くは市内でもロケーションのよい場所に建てられ、大学のすぐ近くに設置されているため通学の便も非常によいです。寮費は日本のワンルームマンションと同じくらいの金額で、格安とまではいきませんが、施設の充実度や利便性から考えると妥当な金額です。私も学生だったらスウェーデンに留学したいと感じるほど、留学生にとってよい環境が提供されているのです。そのため、多くの日本人留学生は、スウェーデンの自由でオープンな留学生活を満喫し日本に帰っていきます。

ただこうした留学生が過ごしやすい大学環境づくりは、国家政策として行われています。実際にスウェーデン政府のレポート「スウェーデンの高等教育機関の国際化」には、「研究と知識の国家として高いレベルの魅力の確保、（中略）高い魅力的な国である前提条件としては、他国の能力のある学生、および研究・教育スタッフにスウェーデンへよいイメージを持たせることである。このためには速やかに居住許可が取得できる効率的な手続きや、スウェーデンで勉強または働きたいと望むような魅力的な条件を確保し、良好な生活水準を提供することが必要である」と記されています。[22]

また大学の国際的ネットワークであるウーニウェルシタース21[23]によると、2019年の研究機関・高等教育機関へのGDPに対する支出費比重では、スウェーデンはスイスにつぎ世界2位です。また総合高等教育制度でも世界4位と、20位である日本を大きく引き離し、優れた研究機関や高等教育機関制度であると示されています。さらに重要である大学研究へは、政府の研究助成機関であるスウェーデン研究評議会（VR）や環境・農業・地域計画研究会議（フォーマス）から多額の助成金が支給されるほか、民間ではヴァレンベリ財団の1つ、クヌート・アンド・アリス・ヴァレンベリ財団（KAW）からも支給されるなど、大学・研究機関への助成金制度も充実しています。これからわかるのは、スウェーデン政府が大学や研究機関、留学生を優遇するのは国家政策の1つであり、留学生が充実した留学生活を送ることで、スウェーデンへのよいイメージを刷り込むための戦略だということです。しかし一方で、一般の市民はアパートの賃貸もできない状況で、不動産の購入を迫られるほど住宅不足で悩まされる不公平さ

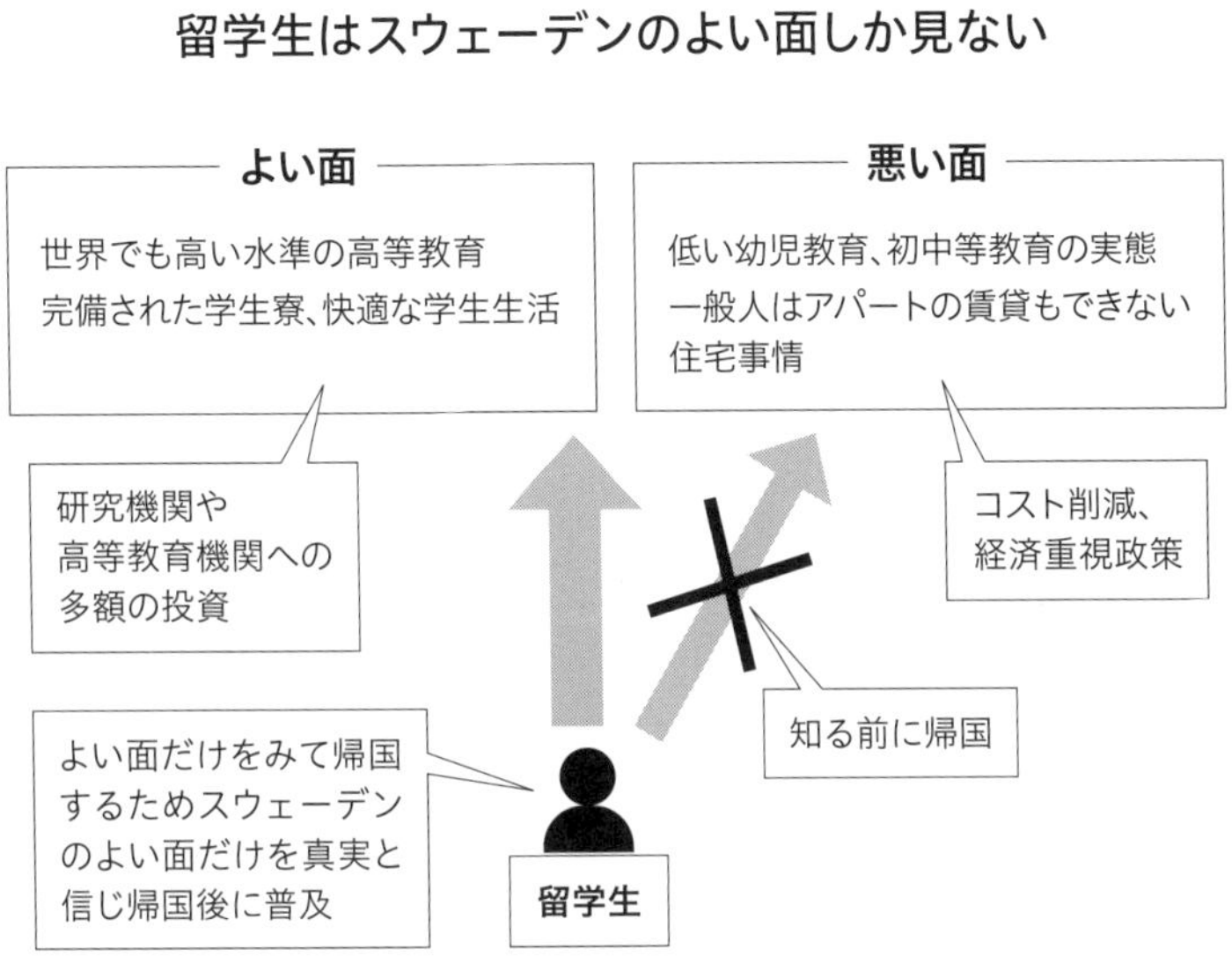

があるのです。またスウェーデンの大学教育のレベルは世界でも高いものの、初中等教育においては教育レベルがとても低いという矛盾も起きています。

3、4年ほどスウェーデンに留学に来た学生は、よい面だけを見て帰国します。そしてその中から、数年、十数年後にスウェーデンを語る専門家や研究家が出てきます。それら専門家の多くは、留学中によいイメージを刷り込まれ、スウェーデンのよいところだけが真実だと信じ、発信していると考えられるのです。そして、そうした専門家に影響されたメディアも、よい面のみを取り上げるため、スウェーデンがあたかも地上の楽園であるような報道が多く、私たちにもよいイメージだけが刷り込まれているのです。

28 全く機能していない移民者向けスウェーデン語学校

スウェーデンでは、移民者へのスウェーデン語教育としてSFIと呼ばれる語学学校で、スウェーデン語の授業を無償で受けられます。クラスのレベルは4段階に分かれていて、第1段階と第2段階のクラスは読み書きのできない人または短期の教育しか受けていない人に提供され、第3段階と第4段階のクラスはアドバンスクラスとなっています。一般的な大学卒業程度の学力がある人の場合、第3段階から授業を開始できます。この無償のスウェーデン語学校SFIは、できる限り早く多くの移民が就業できることを目的として設立されました。

ただこのSFIは、授業のレベルの低さや教師の質の低さが度々指摘されています。スウェーデンに居住し個人識別番号を取得すれば誰でも通えるため、私もスウェーデンで働きはじめたときに通いましたが、最初に通ったSFIではアラビア人が教師で、毎回プリントを配り自習させるだけで、一度もきちんとした授業をしないため、半年で辞めてしまいました。他の多くの生徒も授業のレベルの低さや教師の質の低さを不満に、私と同様に辞めていったのでした。

2019年の地方新聞『イェムトランド』によると、北部クローコム市のSFIに通う学生が、「教師は教室に来るものの全く教えず、ただ生活や個人的な話をするだけで授業をしない。状況は本当に悪く、文法や単語、言葉を学びたいのに、学べない」と語っています。[24]２０１５年の『フォルクブラーデット』紙でも、中東部ノルヒェーピング市のＳＦＩに通う７人のシリア人が、ＳＦＩではほとんど何も学べず、自治体の金のムダ使いだと話しています。[25]

理由の１つとしてＳＦＩ教師の教育水準の低さがあります。２０１８年の政府学校調査機関の調査[26]によると、資格や教育大学学位を持つ教師の不足が授業のレベルの低下を招き、生徒のやる気を失わせ、ＳＦＩを辞めていく生徒を増加させているといいます。実際に、ＳＦＩでは資格を持つ教師の割合が非常に低く、２０１７年にはほんの36％[27]しかいませんでした。教育大

移民向け教育は なぜうまくいかないのか

無償移民スウェーデン語学校の実態：

・低い授業のレベル
・やる気の失せる生徒が増加
・卒業せず語学学校を辞める生徒の増加
・高い移民の失業率

原因：

・教師の不足
・教師の教育水準の低さ

原因の背景：
コスト重視政策

地方自治体がコスト重視で価格の安い民間学校を移民スウェーデン語学学校として委託しているため

学の学位を持つ教師の割合も低下し71％弱[28]であり、過去10年で最低となっています。

またＳＦＩの教師の成り手も減ってきています。２０１６年の日刊紙『ＳｖＤ』の記事[29]によれば、地方自治体がコストを重視して、ＳＦＩの運営を価格の安い民間学校に委託しています。民間委託のＳＦＩは、コスト削減で労働環境が悪いため教師が働きたがらず、教師不足を生んでいるというのです。実際に私の担任となった教師も、ＳＦＩの待遇が悪いといって数か月でそのＳＦＩを辞めてしまいました。こうしたコスト重視による民間委託型のＳＦＩが、教師不足や教師の質の低下を招き、生徒のやる気を失わせ、卒業せずに辞める生徒を増加させているのです。ＳＦＩを卒業する生徒は１９９０年代と比べると、ほんの3分の1[30]にまで激減してしまいました。政府は、教師不足や教師の質改善のために、２０１６年に４０００万クローナ（約4億８０００万円）の資金を投入[31]しましたが、いまだに改善できてはいません。

ＳＦＩは、移民が早く就業できることを目的に設立されましたが、現在のスウェーデンでは外国生まれの人の失業率が非常に高いという実態があります。２０２０年の経済誌『エコノミファクタ』によれば[32]、移民・難民など外国生まれの人の失業率は15・１％と、スウェーデン生まれの人の失業率４・４％と比べるとかなり高くなっています。中部フィーリップスタード市にいたっては、外国生まれの人々の失業率は80％[33]にものぼっています。もちろん外国生まれの失業率が高いのはＳＦＩの教育だけのせいではありませんが、せっかくの無償スウェーデン語教育も、残念ながら事実上はあまり機能していないのです。

5章

世界の金融・経済を牽引する銀行とグローバル企業

29

世界に先駆けて進むキャッシュレス化

スウェーデンのキャッシュレス化は日本よりも進んでいます。多くの店にはクレジットカードやデビットカードを取り扱う小型の機械が設置され、ほとんど現金を使う必要がありません。現金を取り扱わない店も出てきています。スウェーデンのキャッスレス化はヨーロッパ諸国の中でも特に進んでおり、２０１８年の欧州委員会の調査によれば、デジタル化の進展は加盟28か国中、第2位で[1]、現金はＧＤＰの１％しか流通していません[2]。また、２０１２年からは、スウィッシュと呼ばれる、携帯番号で個人間送金・支払サービスができる携帯アプリまで登場しました。スウィッシュは日本のペイペイやラインペイといった民間企業開発によるスマホ決済アプリとは違い、スウェーデン主要6銀行により共同開発されたアプリで、スウェーデン人の大半が使っています。２０１９年には、人口１０１２万人のうち約７００万人もの人[3]がスウィッシュを使用し、18歳から24歳までの若者にいたっては、スウィッシュ決済が95％にまでのぼっています。[4]２００７年にルーマニアがＥＵに加盟して以降、スウェーデンには多くのルーマニア人がやってきて街で物乞いをしていますが、こうしたホームレスの中には「スウィッシュでお金を送ってくれ」というカードを首にかけている人もいます。それほどスウェーデンではキャッスレス化が進んでいるのです。

スウェーデンでキャッスレス化が進んだ背景[5]としては、まず1つに、１９８０年代後半に発生したスウェーデンのバブル経済が１９９０年代初頭に崩壊し、金融危機に陥ったことから、金融機関を中心に国家をあげて生産性向上を目指したという事情があります。また、脱税対策やマネーロンダリング、路上での現金強盗などの犯罪防止のためにもキャッスレス化が進められました。実際に２００８年の時点で１１０件あった強盗の発生件数は、２０１５年には７件にまで減り、強盗発生率はマイナス93・６％[6]にもなったのです。またもう1つの理由として社会全体がキャッシュレス取引に移行すると、銀行は手数料で収益をあげることが可能になるため、政府が店や交通機関などのあらゆる場所でキャッシュレス化を推進し、さらに現金を使

日本の1歩も2歩も先をゆく金融政策

銀行電子認証

スウェーデン：
2003年に主要銀行が開発した「**バンクID**」という電子認証アプリ開始

日本：
2016年頃から導入されはじめた銀行のワンタイムパスワード認証開始

マイナス金利

スウェーデン：
2009年に**マイナス金利導入**

日本：
2016年にマイナス金利導入

携帯決済アプリ

スウェーデン：
2012年から「**スウィッシュ**」と呼ばれる携帯番号で個人間送金・支払サービスができる携帯アプリ開始

日本：
2014年にラインペイ公開

電子通貨

スウェーデン：
2017年から「**イークローナ**」という電子通貨発行検討プロジェクト開始

日本：
2019年頃より日本銀行が電子通貨検討開始

わない店に対しても税法上の優遇措置をとったことがあげられます。これにスウィッシュの普及が後押しとなり、スウェーデンは世界でもキャッシュレスの先進国となったのです。

ただスウェーデンのキャッシュレス化もメリットばかりではありません。年金受給者全国組織ＰＲＯの記事[7]では、高齢者や障害者、ＩＴが整備されていない地域では不都合も生じていると指摘されています。またスウェーデン社会民主労働党フレドリック・オロボソンもキャッスレス社会はメリットもあるが、同時に現金も残していく必要があると述べています。[8]キャッシュレス化で大きな利益を上げている銀行により、キャッスレス化が推進されることは合理的でないとも語っています。しかしスウェーデン中央銀行[9]では２０１７年からイークローナという電子通貨発行検討プロジェクトを開始し、さらにキャッスレス化を進めているのです。

キャッスレス化だけでなく、スウェーデンは過去にも多くの新しい金融政策を世界に先駆けて導入しています。たとえば、２０１６年頃から日本でも導入されはじめた銀行のワンタイムパスワード認証も、スウェーデンでは２００３年にバンクＩＤという電子認証アプリが主要銀行によってすでに開発されており、２０１６年に日本銀行が導入したマイナス金利政策も世界でいち早く２００９年に[10]導入しています。なぜか小国であるスウェーデンが、つねに金融政策で世界や日本よりも先に新しい制度を導入しているのです。

現在のスウェーデンの政策を注視すれば、もしかすると日本の将来を先読みできるのかもしれません。

30 経済低迷期に大量の人材がノルウェーへ流出

スウェーデンの経済は、2014年以降高い伸びを記録しており、2015年の経済成長率は4・5％、2016年は2・7％、2017年は2・1％[11]にもなりました。2018年以降も緩やかな経済成長が続いており、山谷はあるものの全体的に悪くはありません。実際に、第2の都市ヨーテボリ市では、多くの建設工事が進んでいます。

特にスウェーデンのシリコンバレーと呼ばれるリンドホルメン・サイエンスパークには、多くのIT企業や自動車関連企業が参入し、たくさんの新しいビルが建てられています。たとえばボルボ・カーズの親会社であるジーリーホールディンググループは、総面積が10万4000平方メートルを越え、3500人の社員を収容できる大型施設、ジーリーイノベーションセンターを2020年にリンドホルメンに建設[12]しました。またカーラトーネットと呼ばれ、完成すれば高さ245メートルにもなる、スカンジナビアで一番高い高層ビル[13]の建設も進められており、スウェーデンの景気のよさがわかります。

しかし2012年、2013年にはスウェーデンも欧州債務危機などによる世界経済の混乱を受けて、経済成長率が低迷していました。半面、当時ノルウェーは石油ブーム期であったため、多くのスウェーデン人学生が夏休みにノルウェーへ出稼ぎに行っていたのです。当時、ノルウェーに出稼ぎに行ったスウェーデン人は、「ノルウェー・クローナの方がスウェーデン・クローナよりも為替レートがよく、収入が高くなるから夏にノルウェーへ働きに行った」と話してくれました。そのため当時、夏にノルウェーのオスロなどを訪れると、実はレストランやホテルで働いているのはスウェーデン人だということが結構多かったのです。学生だけでなく、夏に高所得のノルウェーに出稼ぎに行く看護師も多くいました。2014年の公共ラジオSRによると、スウェーデンでは看護師不足にもかかわらず、3分の1の新人看護師がノルウェーで働くことを望んでいるとのことです。[15]

また多くのスウェーデン人医師も、好条件であるノルウェーの病院に移ってしまっていました。2012年のニュースサイト『ザ・ローカル』によると、スウェーデン中部のモーラ市の病院では、医師の大半である14人が国境を越えノルウェーのチュンセット市に行ってしまい、[16]チュンセットの病院の医師、20人中18人がスウェーデン医師となるほどでした。

医師と同様に、教師も好条件のノルウェーに移ってしまいました。2015年の教育月刊誌『スコールバーデン』によれば、スウェーデン教師の月給は3万1000クローナ（約37万2000円）でしたが、ノルウェー教師の給料は5万5000クローナ（約66万円）だったそうです。国境近くにあるスウェーデンのアルビカ市の学校では、非常に多くの教師がノルウェー

労働力は国境を越えて稼げるところに流れる

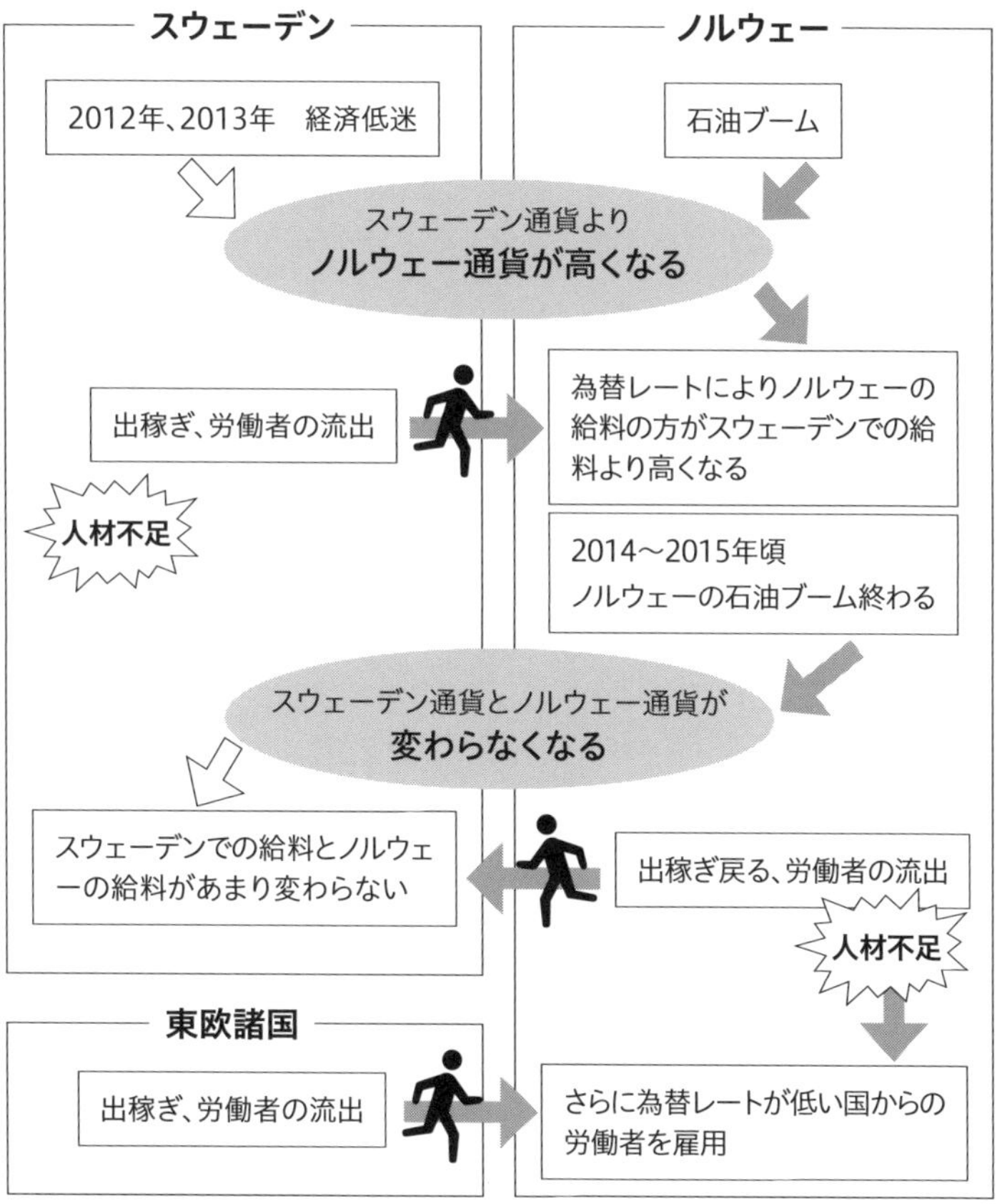

推察：

スウェーデン人も含め多くの労働者は、為替レートが高く、見かけ上高い給料の取得できる国へ移動する傾向がある

へ移ってしまい、資格のある教師を確保できるか問題となりました。

こうしたスウェーデン人の人材流失は、２０１２年、２０１３年頃のスウェーデンの景気低迷とノルウェーの景気好調が重なったことに起因しています。しかしノルウェーの石油ブームが終わると、スウェーデン人学生のノルウェーへの出稼ぎ数も激減しました。２０２０年においてはノルウェー・クローナとスウェーデン・クローナの為替レートもあまりかわらないため、スウェーデン人学生でも以前ほどノルウェーに行くことはありません。ニュースサイト『ザ・ローカル』によると、[17] ノルウェーではピーク時に比べて約55％から60％ものスウェーデン人学生が減少し、今はその穴を埋めるため、ロシアやリトアニア、ポーランド、ハンガリーなどの東欧諸国から低賃金の人材を募集しているということです。

一見、裕福にみえるスウェーデン人でさえ、経済の低迷期には多くの人が為替レートのよい国に出稼ぎに行き、国内では人材不足を招いていたのです。

日本でも近年、労働力を外国人に頼りはじめています。外国人労働者にとって日本円は、為替レートがよいから魅力的です。しかし為替レートが下がってしまえば日本円の魅力も薄れるため、外国人労働者の減少を招き、スウェーデンのように労働力不足に陥ってしまうのかもしれません。

31 世界で初めて紙幣をつくったスウェーデンの中央銀行

小国にもかかわらず、スウェーデンには１２４行以上[18]もの銀行が存在しています。その中でも大きな４大銀行[19]ノルディア銀行・ハンデルスバンケン・ＳＥＢ銀行・スヴェットバンクで、スウェーデンの銀行総資産の80％以上を占めています。スウェーデンのキャッスレス化を推し進めた携帯アプリ・スウィッシュも、これら主要銀行が主体となって開発されました。こうしたスウェーデンの主要銀行は日本の銀行と比べても古くに創設された歴史のある銀行です。

北欧地域で最大の金融グループであるノルディア銀行は、現在、フィンランドの銀行となってしまいましたが、１８８４年に設立したスウェーデンのポストバンクとスウェーデンクレジット銀行に由来する古い銀行です。スウェーデンの銀行として最大のハンデルスバンケンも１８７１年に設立された歴史ある銀行です。スウェーデンで2番目に大きなＳＥＢ銀行も、前身であるストックホルム・エンスキルダ銀行がスウェーデンの大富豪一族ヴァレンベリ家の創始者、アンドレ・オスカー・ヴァレンベリにより１８５６年に創設された、ストックホルムで最も古い民間銀行[20]です。スヴェットバンクは１８２０年にヨーテボリで設立された、スウェーデン最初の貯蓄銀行と農協銀行にルーツを持つ銀行です。日本で最初に開業した銀行は、明治6（1873）年7月20日に開業した第一国立銀行（現・みずほ銀行）[21]ですので、スウェーデンの民間銀行は日本よりも早くから設立された歴史ある銀行が多いのです。

歴史があるのは民間銀行だけではありません。世界で最も古い中央銀行もまた、スウェーデンにあります。日本銀行の資料[22]によると1668年に世界最古のスウェーデンのリクスバンクが設立されました。そして1694年にイングランド銀行、1800年にフランス銀行、1882年に日本銀行、1913年に米国連邦準備制度が設立されたのです。この世界最古の中央銀行リスクバンクについては、スウェーデン国立銀行の資料「スウェーデン国立銀行の300年」[23]にその経緯が記載されています。その資料によると、1661年にリクスバンクの前身であるパルムストルック銀行で、世界初の信用紙幣がつくられました。そしてこの紙幣が今でいう銀行券となり、世界に普及していくことになったのです。また当時のリクスバンクは現在の中央銀行のように政府から独立してはおらず、議会の機関として機能していました。このように歴史的にみるとスウェーデンの中央銀行も古い歴史を持ち、現在の銀行制度の起源にもなっているのです。そして現在でもスウェーデンの中央銀行はマイナス金利政策実施や、イークローナという電子通貨発行プロジェクトなど、世界に先駆けた金融政策を展開しています。

32

東インド会社がルーツ？数々のグローバル企業

スウェーデンといえば、首都ストックホルムをイメージしがちですが、西には第2の都市ヨーテボリ市があります。１６２１年に国王グスタフ2世アドルフによって建設され、ストックホルムと比べると比較的新しい都市です。アドルフによるヨーテボリの設立以前は、スウェーデン人はイェータ運河の40キロ上流にあるレーデースで港町を築き、貿易を行っていました。当時はノルウェー人とデンマーク人がこの地まで迫ってきたため戦いが続き、長い間スウェーデン人は苦戦を強いられていましたが、ようやくヨーテボリに拠点を設けたのです。

ヨーテボリはスカンジナビアで最大の港湾施設を有し、貿易と海運を主要とする港町です。工業も主要な産業で、スウェーデンで最大の企業ボルボ・トラックが属するボルボ・グループや、中国ジーリーグループ傘下のボルボ・カーズ、世界１３０か国で事業を展開するベアリング生産の世界最大手のＳＫＦも本社を構えています。２０１０年頃から急速に街の開発が進んでおり、北欧で最大の遊園地リサベリの前には、ヨーロッパでも5本の指に入る大きなゴシア・タワーズ・ホテルが２０１４年にオープンし、またイェータ運河沿いにある多くのＩＴ企業が入るサイエンスパークでも、再開発が進められています。しかし街の中心部を歩くと中世からの古い建物がまだ多く残っており、代表的なのはヨーテボリ市歴史博物館の建物です。この格調高い建物は歴史的に非常に貴重なもので、もともとスウェーデン東インド会社の本社だった建物を歴史博物館として利用しています。

東インド会社とは、17世紀にヨーロッパの各国で設立され、アジア地域との貿易独占権を与えられた特許会社です。よく知られるのはオランダの東インド会社ですが、この会社は植民地と貿易を行うために、新しい船や船員を雇う多額の資金を必要としていました。そうした事情から、株式の発行を行い植民地から得た利益を株主に還元するという、世界初の株式会社となったのです。また当時の東インド会社は商業活動だけではなく、国富増大を目指す当時の重商主義のもと、条約の締結権・軍隊の交戦権・植民地経営権などさまざまな特権が与えられていました。そして植民地からの搾取や他国との植民地争い、保護貿易を行うなどアジアでの交易や植民に従事して一大海上帝国を築いたのです。

なかでもイギリス東インド会社は非常に大きく、『ナショナルジオグラフィック』には、「いま巨大企業と聞いて思い浮かべるのはグーグルやアップルだろうか。だが、過去も含めれば、いずれもイギリス東インド会社の足元にも及ばない。かつてインド亜大陸のほぼ全域を支配した強大な営利企業だ」と記されています。[24] また今も残るイギリス東インド会社のザンジーブ・メフタ会長は、現在、世界の共通言語として英語が使われている理由として、イギリス東

ヨーテボリ市歴史博物館（旧スウェーデン東インド会社建物）

インド会社が世界初のグローバル企業として7つの海を支配し、インドや中国、オーストラリア、アフリカ、アメリカを相手取り世界中で英語を使って貿易をしていたためだと語っています。[25]当時のイギリス東インド会社が世界に与えた影響力の大きさがよくわかります。

そして、1731年にヨーテボリにもスウェーデン東インド会社が設立されました。ヨーテボリ市公式ガイドによるとヨーテボリは18世紀にスウェーデン東インド会社のおかげで重要な貿易港となり、人口が1万人を超え、当時としては巨大な都市に成長して大きな利益を上げたとのことです。[26]このようにスウェーデンでも東インド会社がスウェーデンへ与えた影響はとても大きかったのです。現在のスウェーデンは小国ですが、今でもボルボやイケア、エリクソン、H&Mなど、世界でも有数のグローバル企業が多く存在しています。こうした数多くのグローバル企業の存在は、18世紀の植民地時代に繁栄した、初のグローバル企業である東インド会社のおかげなのかもしれません。

33 高い生産効率を維持する4つの理由

スウェーデンは日本でよく知られる福祉国家です。しかし福祉国家を維持するためには多額の費用がかかります。

一般的に知られるスウェーデンは、自然が多く人がのんびりと働き、有給休暇もしっかり取得して優雅に暮らしているイメージがあり、日本人のように長時間労働をしてまで必死に働いているようなイメージはないはずです。実際に、スウェーデンの就業時間はOECD37か国中でも5位（1452時間）であり、日本の16位（1644時間）[27]と比べてもかなり短くなっています。また、多くのスウェーデン人はコーヒー休憩をよくとり、残業もほとんどしません。

にもかかわらずスウェーデンの2018年の就業者1人当たりの生産性は、OECD加盟国中で14位の10万5977ドル（約1113万円）[28]であり、21位の日本の8万1258ドル（約853万円）と比べても非常に高く、かつスウェーデンの時間当たりの生産性は12位で72ドル（約7560円）で、21位の日本の46・8ドル（約4914円）と比較[29]しても短時間で効率的に生産をしています。

スウェーデン人はのんびりと働きながら、どのように福祉国家を支えるほどの高い生産性を生み出しているのでしょうか？

１つ目の理由として多くのグローバル企業の輩出があります。

スウェーデンには小国にもかかわらず、ボルボやエリクソン、イケア、Ｈ＆Ｍなど多くのグローバル企業があり、中国、インドなど世界各地の賃金の低い労働力を積極的に利用しているのです。また国内でも外国人労働者を積極的に雇用しています。日本では２０１７年から２０１８年にかけ、外国人労働者が約18万人増えましたが[30]、スウェーデンでは４万３４１ケースもの新規就労ビザを発行[31]しており、日本と比べて人口当たりでは約２・７倍も外国人労働者を受け入れていることがわかります。実際にスウェーデン企業では非常に多くの中国人やインド人が働いています。

そのためスウェーデン企業では業務量が増えたとしても、国内で全ての業務を行うわけではなく、低賃金国や外国人労働者を積極的に雇用することで自分たちの労働条件を変えることなく、生産性を高めているのです。

２つ目の理由としてあげられるのは、外貨獲得産業の促進です。

その１つに観光業があります。首都ストックホルムはスカンジナビアの中では１番の観光都市であり、国連世界観光機関（ＵＮＷＴＯ）によると、２０１７年のスウェーデンの国際観光収入は１４１億４２００万ドル（約１・５兆円）でした。日本の国際観光収入の３４０億５４００万ドル（約3・6兆円）と比較すると、人口比率では5倍以上も観光収入が高いことになります。さらにスウェーデンではカジノが合法で、最近はテレビや街の至るところでオンラインカジノ広告を目にするようになりました。2019年のスウェーデンのギャンブルによる総収入は248億クローナ（約2976億円）[32]とカジノが非合法な日本では全く得られない収入を見込めているのです。

またスウェーデンと聞くと、中立で平和を望む国と思う人は多いはずですが、イメージに反して、スウェーデンは世界でもトップクラスの武器輸出大国です。実際にスウェーデンには多くの軍事企業が存在しています。数ある軍事企業の中でも、世界でも有数の軍事メーカーであるサーブ社が製造する戦闘機グリペンは、ブラジルや南アフリカ、ハンガリーなどの多くの国に輸出されています。2014年のフランス通信社AFPによると、[33]スウェーデンでの国民1人当たりの武器供給額は、イスラエルとロシアに次ぐ世界第3位です。2009年から2013年の間では、スウェーデンの武器供給額は世界の1・9％を占めていました。2014年から2018年の間には、0・7％にまで減少しましたが、[34]今でもスウェーデンの軍事産業は生産効率の高い産業の1つです（7章参照）。

3つ目の理由として強い金融力があります。

表は世界にある民間銀行の2019年における総資産[35]を、IMFの人口統計[36]を用い人口1人当たりで計算し上位トップ30銀行を示したものです。ルクセンブルクやスイス、フィンラン

順位	銀行名	国	総資産 10億ドル	人口 (百万人)	人口100万人当たり資産 10億ドル
1	European Investment Bank Group	ルクセンブルク	637.42	0.60	1,058.84
2	UBS Group AG	スイス	959.63	8.48	113.11
3	**Nordea**	フィンランド **(2018年10月までスウェーデン)**	621.91	5.51	112.81
4	Danske Bank	デンマーク	548.05	5.78	94.80
5	Credit Suisse Group	スイス	780.92	8.48	92.05
6	Qatar National Bank	カタール	236.76	2.72	87.08
7	DBS Group Holdings	シンガポール	402.78	5.64	71.43
8	Oversea-Chinese Banking Corp (OCBC)	シンガポール	341.92	5.64	60.64
9	ING Groep NV	オランダ	1,014.58	17.18	59.05
10	DnB ASA	ノルウェー	301.85	5.32	56.70
11	United Overseas Bank (UOB)	シンガポール	283.82	5.64	50.33
12	Rabobank Group	オランダ	675.34	17.18	39.31
13	HSBC Holdings	イギリス	2,548.86	66.44	38.37
14	BNP Paribas	フランス	2,334.31	64.73	36.07
15	Banco Santander	スペイン	1,669.11	46.45	35.93
16	Credit Agricole Group	フランス	2,121.48	64.73	32.78
17	**Svenska Handelsbanken**	**スウェーデン**	331.42	10.23	32.40
18	Erste Group Bank AG	オーストリア	270.84	8.89	30.48
19	KBC Group NV	ベルギー	324.62	11.40	28.48
20	**Skandinaviska Enskilda Banken**	**スウェーデン**	285.72	10.23	27.93
21	Commonwealth Bank of Australia	オーストラリア	689.35	25.17	27.39
22	Royal Bank of Canada	カナダ	1,001.34	36.99	27.07
23	Australia & New Zealand Banking	オーストラリア	662.77	25.17	26.33
24	Toronto-Dominion Bank	カナダ	969.31	36.99	26.20
25	ABN AMRO Group NV	オランダ	436.13	17.18	25.38
26	Westpac Banking Corp	オーストラリア	618.92	25.17	24.59
27	**Swedbank**	**スウェーデン**	249.95	10.23	24.43
28	Societe Generale	フランス	1,497.72	64.73	23.14
29	National Australia Bank	オーストラリア	567.28	25.17	22.54
30	Groupe BPCE	フランス	1,457.12	64.73	22.51

民間銀行人口あたり資産トップ30 (2018年末)

出所：ADV Rating『The 100 Largest Banks in the world 2019』、IMF『Population by countries』

ド、デンマーク、ノルウェー、シンガポールなどの銀行が上位にあり、スウェーデンも3行がトップ30にランクインしています。大銀行というと中国やアメリカ、日本をイメージしがちですが、人口当たりでみるとスウェーデンを含めた、労働生産性が高いとよくいわれるヨーロッパ諸国の銀行が多いことがわかります。

また民間銀行だけでなく、世界初の中央銀行を設立したスウェーデンは、世界ではじめて紙幣を流通させるなど、歴史的背景からも昔から世界の中央銀行制度に深い関わりを持っているのです。

4つ目の理由として、スウェーデンの大富豪一族であるヴァレンベリ家の力があります。

ヴァレンベリ家は1856年にSEB銀行の前身であるストックホルム・エンスキルダ銀行を創設して以来、軍事企業サーブやベアリング生産の世界最大手SKFなど多くのスウェーデン企業を株式傘下に収めています。1990年にはスウェーデンGNPの3分の1を間接的に支配しており、今も国内外の経済に強い影響力を持つスウェーデンではよく知られる大富豪一族です。加えてヨーロッパの歴史的な背景から、スウェーデン王家が持つ広い世界的な人脈も、スウェーデンの経済を支える大きな要因の1つと考えられます。

こうした4つの理由により、スウェーデンは世界でもよく知られる福祉国家を支える、高い生産効率を維持していると考えられるのです。

34 民主主義国家と見せかけて実はヴァレンベリ帝国

日本には三菱、三井、住友、安田などの財閥が存在し、日本の経済に大きな影響を及ぼしています。ただ実はスウェーデンにはさらに上をいき、スウェーデン経済に大きな影響を及ぼす一族が存在しています。

その一族は、前項でスウェーデンの高い生産性の理由の１つとしてあげたヴァレンベリ家です。ヴァレンベリ家は、スウェーデン人であれば誰もが知る、スウェーデン金融界と産業界で最も影響力のある大富豪一族です。そしてスウェーデンの多くの大企業は、このヴァレンベリ家が所有するヴァレンベリ財団[37]の傘下にある企業なのです。

ヴァレンベリ家の歴史は１８５６年にＳＥＢ銀行の前身であるストックホルム・エンスキルダ銀行を設立した、アンドレ・オスカー・ヴァレンベリから始まります。その後ベアリング生産世界最大手のＳＫＦや通信機器メーカーのエリクソン、軍事メーカーのサーブなどスウェーデンの大企業を取り込み、１９９０年にはＧＮＰの３分の１を間接的に支配するまでに至りました。現在、ヴァレンベリ財団はインベストールＡＢやパトリシア・インダストリーズ、ＦＡ

Mなどの投資会社を介し、間接的にスウェーデン企業を株式傘下に置いています。ヴァレンベリ家の公式ホームページによると、年間の売り上げは1兆4000億クローナ（約16・8兆円）[38]にも及び、2019年にはスウェーデンのGDP[39]の約27・8％にも相当しました。またヴァレンベリ財団のネットワークはアメリカやイギリス、フランス、スイス、ベルギー、中国、インド、日本など世界各地にも広がっています。

　2013年のビジネス誌『アファースバーデン』[40]によれば、スウェーデンの金融経済は主に15家族で独占され、この15家族だけでストックホルム証券取引所の時価総額の約70％にあたる、3兆9500億クローナ（約47・4兆円）相当の株を保有しています。

　なかでもヴァレンベリ家は、2008年度世界長者番付7位にもなった2番手のイケア創設者イングヴァル・カンプラード一族を、3倍以上も大きく引き離しています。そしてストックホルム証券取引所の時価総額の約40％にも及ぶ、1兆8460億クローナ（約22・1兆円）の巨額な株式資産を保有[41]しているのです。

　2016年のイギリスの週刊新聞『エコノミスト』には「北欧のピラミッド」としてヴァレンベリ家についての記事[42]があります。記事によるとスウェーデンでは上位1％の富裕一族が24％の富を保有し、富の配分が不平等と呼ばれるインドの25・7％と比較してもさほど変わらないと記され、4・3％の日本と比較しても、スウェーデンの富裕一族による富の保有率が非常に高いことがわかります。さらに『エコノミスト』は、スウェーデンはヴァレンベリ家とい

ヴァレンベリ家だけで40%もの株を保有

スウェーデン証券取引所の株保有率

スウェーデン15家族のみでスウェーデン証券取引所の時価総額の約70%の株を保有　3兆9,500億クローナ（約47.4兆円）

ヴァレンベリ家（財団）が40%の株保有
1兆8,460億クローナ（約22.1兆円）

ヴァレンベリ家
↓
ヴァレンベリ財団
↓
投資会社を保有
・インベストールAB
・パトリシア・インダストリーズ
・FAM
↓
スウェーデンの多くの大企業を保有
・SEB銀行
・総合機械メーカーSKF
・軍事企業サーブ
・通信機器メーカーエリクソンなど

残りの14家族が30%の株保有

（イケア創設者イングヴァル・カンプラードー族はヴァレンベリ家の3分の1程度）

残り30%を一般株主が保有

事実：

・上位1%の富裕一族が24%の富を保有
・スウェーデン証券取引所の時価総額の約70%の株はスウェーデンの15家族に保有されている
・その中でもヴァレンベリ家は、スウェーデン証券取引所の時価総額の約40%もの株を保有している

現実：
「北欧のピラミッド」と呼ばれるほど、
富裕国では稀な**一部の一族が富をにぎる格差社会**

⇔

イメージ：
格差が少ない平等社会

う特定の一族が経済界に大きな影響を及ぼす、富裕国の中ではとても稀な国で、ヴァレンベリ帝国とも呼んでいます。元・駐スウェーデン日本国特命全権大使の渡邉芳樹は、日露戦争直後の1905年から現在まで、スウェーデン経済界の中核をなすのはヴァレンベリ財団であると述べており[43]、ヴァレンベリ家が長期にわたりスウェーデン経済に大きな影響を及ぼしてきたことがわかります。

またヴァレンベリ家は経済界だけではなく、政界でも強い影響力を持っています。ストックホルム商科大学のピーター・ホグフェルト元教授は、1932年から続く社会民主主義政策[44]にもかかわらず、スウェーデンでは企業所有が増し、与党の社会民主党と民間企業とは共通の利益で強く結ばれていると指摘しています。共産党誌『プロレタリア』[45]でも、与党の社会民主党はヴァレンベリ家と近い関係にあり、ヴァレンベリ家に特別な地位を確保し、スウェーデンの民主主義が巨大資本家に大きな影響を受けていると述べています。こうしたヴァレンベリ家をリンドシッピング大学経済学史のハンス・シェーグレン教授は一族王朝と呼びつつも、ヴァレンベリ家がスウェーデン社会において重要な役割を果たしてきたとも述べています[46]。

一般的には誰もが平等なイメージのスウェーデンですが、実は一握りの富裕一族が富の24%を保有する格差社会であり、なかでもヴァレンベリ家はスウェーデン証券取引所の約40%もの株を保有する、世界でも稀なピラミッド社会の国なのです。一方で、長い間、ヴァレンベリ家がスウェーデンの経済や政治に大きな影響を及ぼすことで、国が栄えてきた事実もあるのです。

6章

環境ビジネスがもたらす環境大国の崩壊

35 なだらかな山、たくさんの湖……。豊かな自然と共存

北欧諸国の中でも最も広い国土を持つスウェーデンは、南北に細長い国で、面積は約45万平方キロメートルと日本の約1・2倍、面積のわりに人口が少なく、総人口は約1012万人と日本の12分の1程度で、東京23区よりやや多いくらいです。スカンジナビア半島の中央東側に位置しており、半島の西部はスカンジナビア山脈が南北に連なっています。ただ、山脈といっても2000メートル程度の山しかなくなだらかな地形が続いています。スウェーデンは雪国でスキーをよくするイメージがありますが、高い山がないため、スウェーデン人は急斜面を下るアルペンスキーよりも、平地を歩いて進むクロスカントリースキーを好みます。

スウェーデンの国土の約66％は針葉樹林に覆われ、広葉樹も散在しており、夏は花々が咲き誇るとても美しい季節です。湖が非常に多く、国内で約9万6000あるといわれています。首都ストックホルムにも多くの湖があり、湖と街の美しいコントラストから、北欧のヴェニスとも呼ばれます。多くのスウェーデン人は湖の近くに別荘を持ち、そこで夏を過ごすのが定番となっています。また夏は日がとても長くなり、北部のラップランド地方では一日中日が沈ま

街なかにあらわれた野生の鹿

ない白夜が訪れます。厚い遮光カーテンがなければとても寝られないほど、北部の地方では夜でも日が差し込むのです。

冬になると打って変わって、日の出ている時間がずっと短くなります。スウェーデン南西部に位置するヨーテボリでも、朝は9時頃になるまで日は出てこず、夕方3時半くらいには沈みます。非常に暗くどんよりとした日が続くため、気分も落ち込みやすい時期となり、なかにはうつ病になる人もいるほどです。しかし実は北部のラップランド地方にいくと冬でも明るいのです。北部に行けば明るいというのは矛盾のように感じますが、北部では雪が積もっているので、雪の反射でけっこう明るいのです。さらにラップランド地方では、夜になると美しい緑のカーテンであるオーロラが見られるため、オーロラの見られる都市として有名なキルナには、世界中から多くの観光客がやってきます。キルナの観光名所はオーロラだけではなく、全てが氷でつくられたアイスホテルに泊まることもでき、サンタクロースのようにそりに乗り、森の中を走る犬ぞり体験もできます。キルナはもともと鉄鉱石の採掘場として有名な街です。スウェーデンの国営企業ＬＫＡＢのキルナ鉱山は良質なスウェーデン鋼となる鉄鉱石を、１日に約７万トン産出しています。この鉱山はすでに１０００メートル以上地下を掘り進んでおり、将来的には地下２０００メートルほどまで到達する計画となっています。キルナ鉱山を見学にいくツアーもあり、ツアーでは、普段行けない鉱山の中に入って採掘現場を見ることもできます。小さな街ながらキルナでは多くの体験ができ、観光客を楽しませてくれます。ただし、このキルナは採掘現場のすぐ近くにあり、街自体が陥没する恐れがあるため、現在、市ごと移動する引っ越し作業が進められています。

　ラップランド地方には、ヨーロッパに残る少数先住民族の１つ、サーミ人が暮らしています。サーミ人はスウェーデンだけでなく、フィンランドやロシアにも住む少数民族です。金髪で青い目のゲルマン系なのですが、モンゴロイド系の遺伝子もあるため、アジア人のような顔つきをしています。サーミ人の血を引くアマンダ・シェーネル監督の映画『サーミの血』によると、現在は人種差別撤廃を強く主張しているスウェーデンですが、１９３０年代にはサーミ人に対する差別や迫害[1]が強かったとのことです。

　スウェーデンでは、首都ストックホルムでも近くに自然があり、身近に接することができます。スウェーデン人は昔の日本人のように、自然とうまく共存し暮らしているのです。

36 エコの利益に群がる企業はびこる偽装商品

スーパーに買い物に行くと、エコ（ＥＫＯ）マークがついた商品がめだちます。エコとはエコロジーのことで、環境に優しいオーガニック商品という目印です。なかでも、クラブ（ＫＲＡＶ）マークやＥＵ規制を適用したＥＵエコラベルなどは、高い基準を設け、特に信頼がおかれています。こうした大きな団体以外にも、最近ではスーパー独自でエコマークをつけるなど、スウェーデンではエコブームとなっています。しかし最近は行き過ぎたところもあります。

大手スーパー・コープはコープ製の有機食品に替えた後、体内の農薬レベルが著しく減少したと謳うテレビコマーシャルを、２０１５年から2年間ほど放送しました。しかしこの放送には科学的な根拠がなく、むやみに消費者に恐怖観念を植えつける過大広告であるとして、スウェーデン植物保護団体に訴えられ、エコ効果宣伝の禁止を受けました。[2] またあまりに多くのエコマーク商品があるため、どれが本当にエコ製品なのかもわからなくなっています。そのため食品庁も、有機食品には偽物も存在していると消費者に警告しています。[3] 実際に、２０１７年の健康食品雑誌の『クレラ』によると、[4] 大手スーパーＩＣＡでは、クラブマーク付きの遺伝子組み換え食品を含んだ蜂蜜が販売されていたとの疑義が生じました。またその他にも蜂蜜商品の不正事例として、スウェーデン産と記された輸入蜂蜜や、蜂蜜を10％しか含まない19トンものトルコ輸入の偽蜂蜜などが発覚していることも記しています。エコブームの裏には、エコ商品から得る大きな利益を求めて、偽装商品も出回っているのです。

また蜂蜜商品だけではなく、他にもたくさんの食品偽装問題が発覚しています。

大手家具メーカーイケアではスウェーデンの伝統料理ミートボールも販売していますが、２０１３年のアメリカの新聞『ニューヨーク・タイムズ』によると、イケアのミートボールを製造している加工食品業者が、価格の安い馬肉を混ぜていたことが発覚しました。[5] このミートボールは多くのヨーロッパ諸国に流通しており、信頼性の高かったイケアのブランドに傷をつけるものでした。

またスウェーデンでは白い髭を生やした年配の男性がトレンドマークとなっている、リンダール・デイリー社製のトルコヨーグルトは人気の高い商品ですが、実はこの男性はトルコ人ではなく、ギリシャ人でした。さらに本人が全く知らないところで写真が無断で使用されており、たまたまストックホルムに住む友人が発見して本人に伝え、リンダール社に５００万ユーロ（約６億１５００万円）の賠償を請求する事件となりました。[6]

エコ商品が多く環境に優しいイメージのスウェーデンですが、最近は過大広告も多く、エコ商品から得る大きな利益を求めて、偽物も出回っているのです。

数多く出回るエコマーク

出所：https://klimatsmartt.blogg.se/2015/april/handla-miljo-markta-varor.html

エコマークはどこまで信用できるのか

37

環境エネルギーを謳う一方で大量の二酸化炭素を排出

２０１９年に国連の気候変動に関する政府間パネル（ＩＰＣＣ）では、地球温暖化が海面上昇や生態系にもたらす影響を予測した、特別報告書を公表しました。[7] 報告書によれば、南極の氷が予測よりも速く解け、海面が今世紀末までに最大１・１メートル上昇するそうです。被害を抑えるため沿岸部のインフラ整備などに、年間数千億ドルの投資が必要となり、今までの想定を超える影響が地球規模で拡大する恐れがあると報告されています。

スウェーデンでは新しい住宅やアパートの電気も、契約するときに環境エネルギーを利用するかどうかの選択ができます。そのため契約者はスウェーデンの電気会社は化石燃料を使わず、環境に配慮しているイメージをよく抱きます。中でも化石燃料を全く使わず、スウェーデン国内で環境エネルギーだけを使用して発電している電力会社に、政府が１００％所有する電力会社のバッテンフォールがあります。バッテンフォールは、１９９６年に電力自由化が行われた後に、フィンランド・デンマーク・ドイツ・ポーランドなどヨーロッパ各地で買収を行い大きくなった、ヨーロッパで有数の多国籍エネルギー企業です。

バッテンフォールが所有していた
ドイツのヤンシュヴァルデ褐炭発電所
出所：Shutterstock

これまで環境エネルギーだけを100％使用し、発電していると謳っていたバッテンフォールですが、実は環境破壊に最も影響の大きい褐炭を使うドイツの火力発電所を多数買収していたことが発覚しました。この事実に対し環境団体グリューネ・リーガのルネ・シュスターは「ドイツのラウジッツ地域にあるバッテンフォールが所有する3つの褐炭発電所のうち1つは、ヨーロッパで4番目に二酸化炭素排出の多い発電所である」と非難しています。これに対して、スウェーデン政府はドイツの褐炭火力発電所を他国に売却し問題を解決しようとしましたが[8]、左翼党と環境党は他国に売却するのではなく、スウェーデンが所有し閉鎖まで責任を持つべきだと主張し大きな議論となりました。最終的に2016年にバッテンフォールは、政府の提案を受け入れ、ドイツにある4つの褐炭火力発電所と鉱山を、チェコに売却し問題は解決したとしています[9]。しかし、他国に問題をなすりつけただけで地球全体の二酸化炭素量は全く減っておらず、緑の党スポークスマンであるグスタフ・フリドリンも「誰かに売却するだけでは、根本的な解決策にはなっていない」と公共テレビSVTで非難しています。

さらにまたスウェーデンラジオ公共放送によると、バッテンフォールはスウェーデンの環境団体ヨーデン・ヴェナから、環境保護を考慮していると世間に思わせるために偽情報を流す企業・組織・人物に与えられる「気候グリーンウォッシュ賞」という不名誉な賞を授与されました[10]。その理由は再生可能エネルギーへのわずかな投資にもかかわらず環境保護のイメージをつくり、同時に石炭火力へ巨額の投資を行ったためです。このように環境エネルギーを100%使用していると謳っていたスウェーデン最大の電力会社バッテンフォールは、実は大量の二酸化炭素を排出し、環境破壊を進めていた企業でもあったのです。

また2019年9月にスウェーデンの新聞『ヨーテボリポスト』の記事[11]で、実は年金の一部が石油企業に投資されていたことが発覚しました。同紙によると最低保障年金を運用している1つのファンドで、14億クローナ（約168億円）もの金額が石油・ガス企業に投資運用され、その投資先の企業は、世界で二酸化炭素排出量が最も懸念される100企業のうちの32企業だったのです。実際にはもっと多く石油・ガス企業に投資されているといわれています。世界に環境に優しい環境国家のイメージを配信しているスウェーデンですが、そのイメージとは裏腹に、実際には石油・ガス企業に多額の投資をし、利益を得ていた事実もあるのです。

38 全廃から存続へ　その場しのぎでコロコロ変わる原発方針

２０１１年3月11日に起きた日本観測史上最大の地震、東日本大震災で起きた福島第一原子力発電所の事故は、世界の国々でも大きく報道されました。私はちょうどこのときドイツに住んでいましたが、毎日のようにテレビで事故の状況が報道され、ドイツでも原発に対する不安が高まりました。この事故を受け、ドイツでは２０２２年までに原発を全廃する政策[12]を決定、またスイスも２０３４年までに、ベルギーも２０２５年までに原発の全廃を決定し、多くのヨーロッパ諸国で脱原発の流れが生まれました。しかしＥＵ諸国の動きと逆進するのがスウェーデンでした。

もともとスウェーデンは、１９７９年に起きたアメリカのスリーマイル島原子力発電所事故を受け、１９８０年に世界に先駆けて「２０１０年までに全原発を廃止する」と国民投票で決定した国[13]でした。しかし多くの専門家から、脱原発による電気料金上昇と二酸化炭素排出量の増加の問題を考慮するべきだと指摘を受け、１９９８年に方針を転換し、２０１０年以降も原発利用続行を決定しました。ただ政府は２０４０年までに水力を含めた再生可能エネルギーからの電力供給を100%にする目標を立て、徐々に原子力を廃止する予定とします。原子力発電に課税し、その税収分を再生可能エネルギー支援に当てる政策に変えたのです。しかし2016年6月に政府はまたまた政策を変えて、既存の原子力発電設備10基の建て替えを電力会社に認め、原子力発電への課税も廃止することを決定します。結局、全廃決議をした1980年以降には5基が停止されましたが、現在でも7基の原子炉が稼動しています。[14]

原発方針がコロコロ変わるスウェーデンですが、歴史をたどると早期から原子力開発に力を入れ、発電用の原子炉も自国で開発し、60年代、70年代には世界でも原子力技術で最先端にいるほどの原子力推進国だったのです。1986年に起きたソ連のチェルノブイリ原発事故を発見したのも、スウェーデンのフォルスマルク原子力発電所であり、当時からスウェーデンが高い原子力技術を保持していたことがわかります。なぜスウェーデンは方針をコロコロ変え、原子力を推進するのでしょうか。

1つめの理由は、スウェーデンがエネルギー政策で最重視している二酸化炭素排出量の少ない、環境に優しいエネルギーを利用するためです。大気を汚さず供給量も安定している原子力を環境エネルギーであるとして利用を推進しているのです。原子力が環境エネルギーであるかどうかは、福島原発事故を経験した日本人からすると考えさせられる点もありますが、大手電力会社バッテンフォールは、原子力発電を化石燃料を使わない環境エネルギーの1つであるとし、環境エネルギーとして謳う電力のうち、半分もの電力を原子力からまかなっているの

方針転換ではなく「伝統的なスウェーデン流の譲歩」？

脱原発方針

1980年：世界に先駆け「**2010年までに全原発を廃止する**」と国民投票で決定

1998年：政府は方針を転換、2010年以降も**原発利用続行を決定**
- しかし2040年までに水力を含めた再生可能エネルギーからの電力供給を100%にする目標を立て、**徐々に原子力を廃止する予定**とする
- **原子力発電に課税**をし、その税収分を再生可能エネルギー支援に当てる政策へ移行

2016年：政府はまたまた政策を変更、既存の原子力発電設備10基の建て替えを電力会社に認め、原子力発電への課税も廃止することを決定
- **政府**は1998年に決定した「**2040年までに再生可能エネルギーからの電力供給を100%にする**」とした目標も「**単なる目標**」であり、その年までに全ての原発を停止するわけではないと説明
- スウェーデンエネルギー大臣は「**これは伝統的なスウェーデン流の譲歩**」と語る

状況によりコロコロと変わる脱原発方針は
アピール重視するその場しのぎの環境国家イメージ戦略

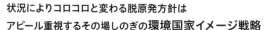

です。[15]

2つめの理由は、ビジネスの観点です。マックスプランク研究所のフリードリッヒ・ワグナー教授と、スウェーデン王立工科大学のエリザベス・ラックルー教授が2016年5月に発表した論文[16]によると、スウェーデンは年間で125億キロワット時の電力を輸入し、340億キロワット時の電力を輸出しており、電力の輸出で大きな収益を得ています。そのため、もし原子力発電が全廃になった場合は、電力輸入国になってしまう恐れがあるため、ビジネス的観点から脱原発ができないのです。

このようにスウェーデンは、世界に先駆けて脱原発宣言をして環境国家をアピールしているものの、その都度コロコロと方針を変え原発の利用を続けているのです。1998年に決定した「2040年までに再生可能エネルギーからの電力供給を100％にする」とした目標も単なる目標であり、その年に全ての原発を停止するわけではないと政府は述べています。スウェーデンエネルギー大臣は「これが伝統的なスウェーデン流の譲歩である」などと語っているのです。[17] 環境国家をアピールしつつも、状況次第で意見をコロコロ考える脱原発方針は、スウェーデンが得意なその場しのぎのイメージ重視の戦略であり、スウェーデン人の国民性をよく表すものでもあるのです。

39 グレタ・トゥーンベリの活動に乗じて？儲かる環境ビジネス

２０１９年9月に16歳のスウェーデンの環境活動家グレタ・トゥーンベリが、ニューヨークで開かれた国連気候行動サミットの中で各国の首脳を前に、地球温暖化対策の緊急性を訴え世界中で注目を浴びました。この活動は、２０１８年8月に「気候のための学校ストライキ」を行い、より強い気候変動対策をスウェーデン議会の外で呼びかけたのが始まりです。その後世界１６０か国以上で４００万人以上の若者が参加し、早急な温暖化対策を求める大きな活動となりました。実際にヨーテボリ市でも環境デモが起きて、バスなどの交通機関が一時動かなくなるほどでした。

グレタの活動は世界中のメディアで大きく報道され、スウェーデンは、環境問題に真剣に取り組む、環境国家であるとの強いイメージが世界中に報道されたのです。日本でもこうした世界の流れを受け早急に環境対策を進めていく必要が出てきました。今後、地球の将来を考える上で環境問題はさらに重要な課題となるはずです。

しかしここで知っておく必要があることは、環境問題は大きなビジネスでもあるということです。２０１７年11月のドイツの都市ボンで開かれたＣＯＰ23[18]では、金融界の大物バンクオブアメリカ・メリルリンチやＪＰモルガン・チェース、シティグループの代表など多くのビジネスパーソンが集まり、脱炭素の取り組みに向けた将来の環境ビジネス投資について議論されました。また２０１９年９月には世界の主要な銀行のトップが国連本部に集まり、気候変動の影響を考慮しない企業やプロジェクトには、今後、融資を行わないという宣言に署名をしました。世界最大の石油財閥であるロックフェラー兄弟財団も、化石燃料に対する計５００億ドル（約５兆２５００億円）以上の投資撤退を宣言しており[19]、今後はさらに多くの投資家や銀行が巨額な利益が生まれる環境ビジネスへ投資をシフトしていくはずです。

そうした環境ビジネスに早くから取り組んでいたのがスウェーデンです。

スウェーデンでは２００５年に、国をあげて環境技術の開発・普及・輸出を振興する国家機関としてスウェンテック（ＳＷＥＮＴＥＣ）を設立しました。国立研究開発法人 新エネルギー・産業技術総合開発機構（ＮＥＤＯ）の２００７年１月のレポート[20]には「スウェンテックの使命は、スウェーデンの環境技術を国際的に広め、スウェーデン企業の競争力を高めると同時に、スウェーデンの環境関連企業がより潤沢な資金を得られるよう尽力することである」との記載があります。その後スウェンテックは２００８年４月に産業省の直轄に変更されましたが、その産業省による２０１１年の環境技術の開発および輸出戦略レポート[21]には、「政府は、研究開発から国内市場経由の輸出まで、開発を支援し、スウェーデンの環境技術の輸出に適した条件

グレタの活動さえもイメージアップに利用

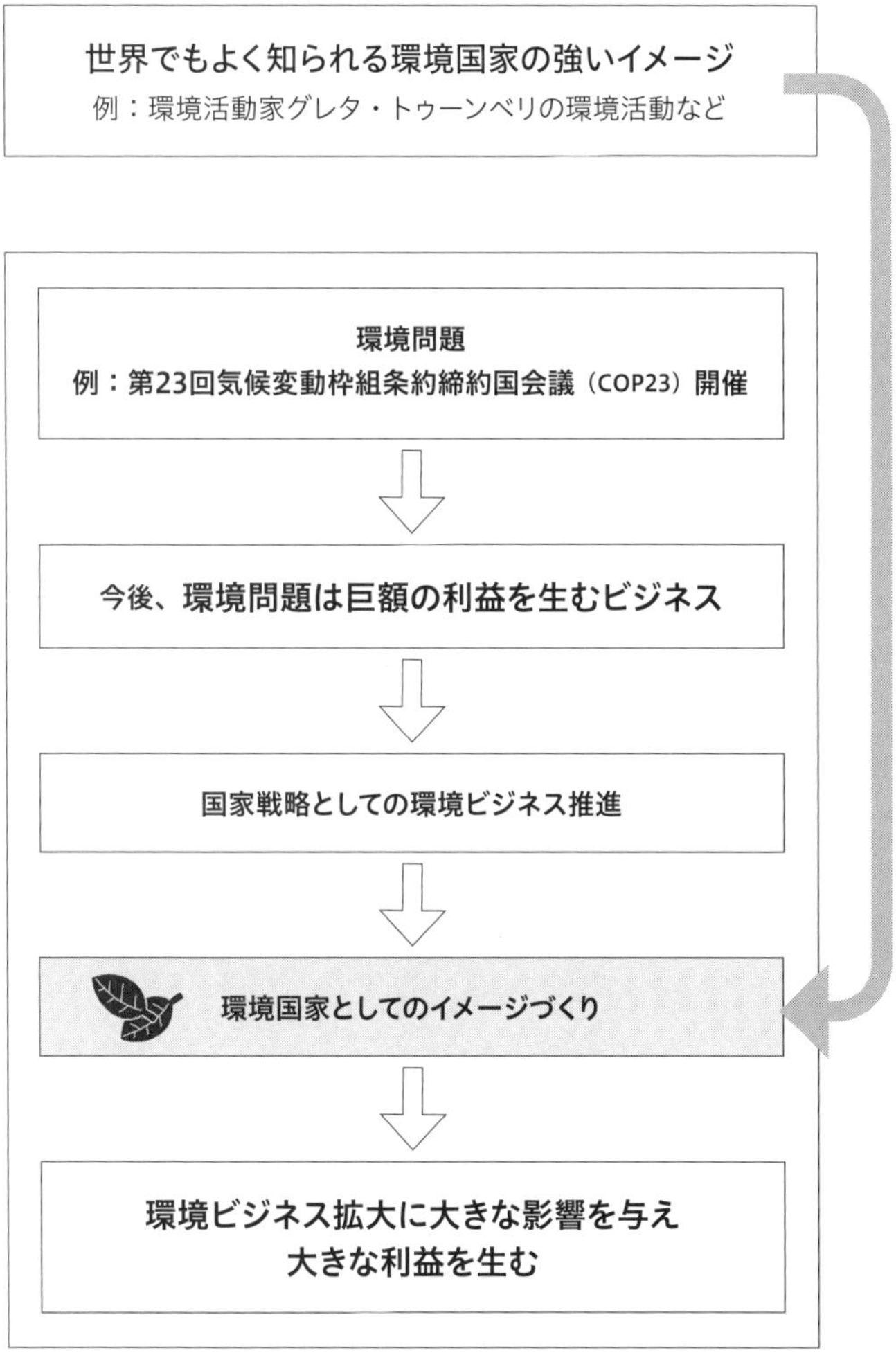
世界でもよく知られる環境国家の強いイメージ
例：環境活動家グレタ・トゥーンベリの環境活動など
環境問題
例：第23回気候変動枠組条約締約国会議（COP23）開催
今後、環境問題は巨額の利益を生むビジネス
国家戦略としての環境ビジネス推進
環境国家としてのイメージづくり
環境ビジネス拡大に大きな影響を与え
大きな利益を生む

を整えるために包括的なアプローチを行う。（中略）たとえば国連やEU2020およびその最重要戦略、OECD、北欧諸国などの環境技術分野と連携をし、さまざまな協力を行っていく。そしてスウェーデンのノウハウを前面に押し出すことで、ネットワークを構築しビジネスづくりに役立てていく。こうして得た情報をスウェーデン各所の関係者に効果的に広めていくことも重要である。そして貿易代表団のような訪問者に対しては、戦略的な手段をとることが重要であり、海外訪問の際には大臣と経済界の代表とでスウェーデンの知識をアピールし、輸出のために重要なネットワークを構築する必要がある」と記されています。また2013年の同じレポート[22]にも、政府が輸出や投資の支援促進のため国と企業が共同所有する組織であるビジネス・スウェーデンに委託して、環境技術を国際会議などで積極的に発表し販売を促進していくことが戦略の1つであると明記されています。このようにスウェーデンでは国家戦略として、早くから環境ビジネスに取り組んでいることがわかるのです。

こうした国家戦略的な視点で見ると、グレタ1人がはじめた環境保護活動がここまで世界に広まった理由の1つとして、彼女の活動に乗じて環境国家としてのイメージを世界に広めることが、政府にとって環境ビジネス拡大に絶好の機会だったということがあげられるかもしれません。

7章

軍事産業が主導する経済と外交

40 栄える軍事産業 平和国家はイメージ戦略の成果

第2の都市ヨーテボリ市を北に75キロほど行ったところに、トロルヘッタン市があります。とても小さな街ですが、トロルヘッタン滝やイェータ川を上るクルージングで有名な街です。クルージングで穏やかな街並みを楽しんでいると、とても大きな工場が見えてきます。この工場は航空機、サーブ社製軍用機グリペンのエンジンを製造するGKNアエロスペース社です。もともとはボルボ・エアロとしてボルボ・グループの傘下にありましたが、2012年にイギリスのエンジニアリング企業GKNに買収されました。あまり知られていませんが、実はスウェーデンには数多くの軍事企業が存在しているのです。ただ都市部から離れた田舎に工場があるため、普段はなかなか目に留まりません。

数多くある軍事企業の中でも、軍用機グリペンを製造するサーブ社は世界でも有数の軍事企業です。サーブというと車のメーカーとイメージする人もいるかもしれませんが、それはサーブ・オートモービルのことです。この車会社は業績が悪化し2010年にオランダのスパイカー・カーズ傘下になり、2011年に破産してしまいました。しかし本体のサーブ社は健在で、ストックホルム国際平和研究所による２０１８年の世界の軍事企業ランキングでは、30位[1]になるほどの巨大な軍事企業です。実際に私が会った多くのスウェーデン人はサーブで働いています。

サーブでは戦闘機や軍艦、潜水艦、各種レーダーなどの軍事製品を製造しています。主力製品の戦闘機サーブ39グリペンは、エンジン部分をボルボ、レーダーなど電気機器はエリクソンや多くのスウェーデン企業が集結し製造されました。サーブ39グリペンは多目的戦闘機で、小型軽量、整備・維持にかかるコストも低いため、ブラジルや南アフリカ共和国のような中進国・開発途上国、経済規模の小さい先進国を中心に次期主力戦闘機候補として売り込まれています。またサーブはグリペンだけではなく、ボーイング社とパイロット訓練用システムを共同開発し、２０１８年9月にアメリカ空軍が採用しました。[2]契約額は92億ドル（約９６６０億円）にもなります。

そしてこのサーブの大株主は大富豪ヴァレンベリ家なのです。

サーブ以外にもスウェーデンには多くの軍事企業があります。オランダの防衛産業検索サイトＡＳＤソース[3]に登録されているスウェーデンの軍事企業は１２７社あり、その中にあるＢＡＥシステムズＡＢは、ノーベル賞の生みの親アルフレッド・ノーベルの兵器会社ボフォースに由来する、世界6位のイギリスの軍事企業ＢＡＥシステムズ[4]の子会社です。２０１４年のアメリカのビジネス誌『ビジネス・インサイダー』によると、[5]スウェーデンは人口当たりの軍事輸出額でイスラエル、ロシアに次ぐ世界第3位で、軍事輸出総額でも世界11位につける軍事輸出大国です。そして国内で約3万人が軍事産業企業で雇用されています。スウェーデンに拠点を置く軍需企業は2013年だけでも、武器や軍需品を55か国に販売し18億ドル（約1890億円）を売り上げています。[6]

またこれもあまり知られていない事実でしょうが、スウェーデンの技術週刊誌『ニーテクニック』によると、[7]スウェーデンは第2次世界大戦終了後、25年間核兵器開発を秘密裏に行っていました。しかし核兵器のコストが利益を上回ると結論付けて開発を中断し、1972年に核拡散防止条約（NPT）に署名し核開発を中止したのです。[8]ただし、アメリカの政策研究センター・スティムソンによると、現在も核兵器を生産できる能力を保持しており、1972年の核廃絶は永遠の禁止ではなく一時停止であるとのことです。[9]実際にスウェーデンのバルストロム外相は、2019年7月の国連で採択された核兵器禁止条約（TPNW）に署名しない方針[10]を明らかにし、核開発の可能性をまだ匂わせています。

平和で人道的な国のイメージが強いスウェーデンですが、実は軍事産業と関連した企業が非常に多く、過去には核兵器の開発を進めるなど、軍事と切り離せない国家の実態があるのです。

スウェーデンは隠れ軍事国家

スウェーデンの軍事企業：127社

ヴァレンベリ家（財団）

・筆頭株主
・ヴァレンベリ財団の傘下企業

軍事企業サーブ：
スウェーデンで最大の軍事企業
世界でも30番目の軍事企業
（2018年）

戦闘機サーブ39グリペン

エンジン部分をボルボ、レーダーなど電気機器はエリクソンや多くのスウェーデン企業が集結し製造

BAEシステムズAB：
アルフレッド・ノーベルの兵器会社ボフォース社に由来する
世界6位のイギリスの軍事企業
BAEシステムズの子会社

軍事に関する事実：

- スウェーデンは人口当たりの軍事輸出額でイスラエル、ロシアに次ぐ**世界第3位の軍事輸出額**
- 軍事輸出総額でも世界11位につける**軍事輸出大国**
- 国内で**約3万人が軍事産業企業で雇用**
- 1972年まで**核兵器開発**を秘密裏に行っていた

41 産学官が連携して軍事を基幹産業に

ストックホルムから西に約200キロ離れた内陸部に、12世紀にスウェーデンにおける宗教の中心地として栄えたリンシェーピング市があります。この街にはリンシェーピング大学のメインキャンパスが置かれているほか、産学官協同によって設立されたIT関連企業の本拠地として、多くの大企業が進出してきています。

なかでも軍事企業サーブは街を代表する企業で、街には戦闘機製造工場やフライトテストセンター[11]があり、戦闘機グリペンの製造や飛行テストを行っています。リンシェーピング市の人口はほんの15万人程度ですが、サーブの工場では約5000人が働き、航空業界を含むと人口の10％に当たる1万5000人が働いています。サーブは街の大雇用主なのです。街にあるスウェーデン空軍博物館では、20世紀初期のサーブ戦闘機から最新戦闘機グリペンまでスウェーデン航空の歴史が展示され、リンシェーピングがサーブとともに発展してきた街であることがよくわかります。大阪大学研究機関Global News View（GNV）の記事「スウェーデンの軍事産業」[12]には、スウェーデンが他国と武器売買契約を結べば、リンシェーピング市も活性化されるので、住民も政治家もサーブを支援していると記されており、都市と軍事産業との強い協力関係がわかります。

サーブのマーカス・ヴァレンベリ会長は、2019年のビジネスサイト『アファスリブ』の中で、サーブとリンシェーピング市の関係についてインタビューを受けています。[13] それによるとヴァレンベリ家初期の当主が、1819年から1833年までリンシェーピング市の司教であったため、この地との縁も深いとのことです。サーブの設立は、1937年にマーカス・ヴァレンベリが政府とともにリンシェーピング市で共同設立したのが始まりで、現在もヴァレンベリ家は街の研究機関や大学と協力して、基礎研究プロジェクトに多額の資金投資を行っているそうです。ヴァレンベリ家所有のヴァレンベリ財団は、基礎研究助成金としてこの10年間で170億クローナ（約2000億円）を拠出しました。その多くはリンシェーピング大学に支給され、大学と行政機関、産業界とが強い協力関係を結んだことが新企業育成を促し、リンシェーピング市でのサーブのビジネス成功につながったと語っています。

こうした産学官連携によりリンシェーピング市で製造されたサーブの戦闘機グリペンは、ブラジルや南アフリカ、ハンガリーなどに輸出された以外に、2011年のリビア内戦でNATO軍の偵察機としても使用されました。このことについてスウェーデン国立防衛大学軍事研究所のグンナー・フルト副所長は、2014年のフランス通信社AFPの取材に対し、「わが国のリビア作戦参加はグリペンにとってかなりの利益になった。これはどの政治家も決して認めないことだが、真実だ。人々は軍事作戦に参加しているものとして見る。これはビジネスにってよいことだ」と述べています。また自由党のアラン・ウィドマンも「スウェーデンの政治家の間では、国防技術と国防産業がスウェーデン経済の最も肝要な部分であるという認識がある」と語り、軍事産業がスウェーデン経済と密接に絡み合っていることを示しています。[14]

スウェーデンの軍事産業の歴史は古く、1600年代前半から本格的に確立されていきます。そして1930年のドイツの台頭や冷戦中のソ連の脅威といった地理的不安定性から、自国を守るため武器製造の必要性があったと軍事産業を正当化してきました。しかしフランス通信社AFPの取材に対し、複数の国防専門家は、スウェーデンが戦闘機や軍需品を国外から低価格で効率的に調達することは可能であるものの、商業的利益がそれを妨害していると指摘しています。またGNVでは、軍事産業は実は自国防衛のためだけでなく、外交政策の一環として開発途上国に武器を販売することで、開発途上国との関係を戦略的に強化させる目的もあり、さらに他国に武器を販売することでスウェーデンの優れた技術力を世界にアピールし、別の分野へビジネス進出を狙っていると記しています。実際に2019年にサーブはグリペンの航空構造技術を使い、インドの大手航空宇宙メーカー3社と提携を拡大し、[15]新たな航空宇宙分野のビジネスに乗り出しています。

このようにスウェーデンでは産学官が連携して軍事産業を支え、その軍事産業が外交や経済に大きな影響を及ぼす、重要な基幹産業となっているのです。

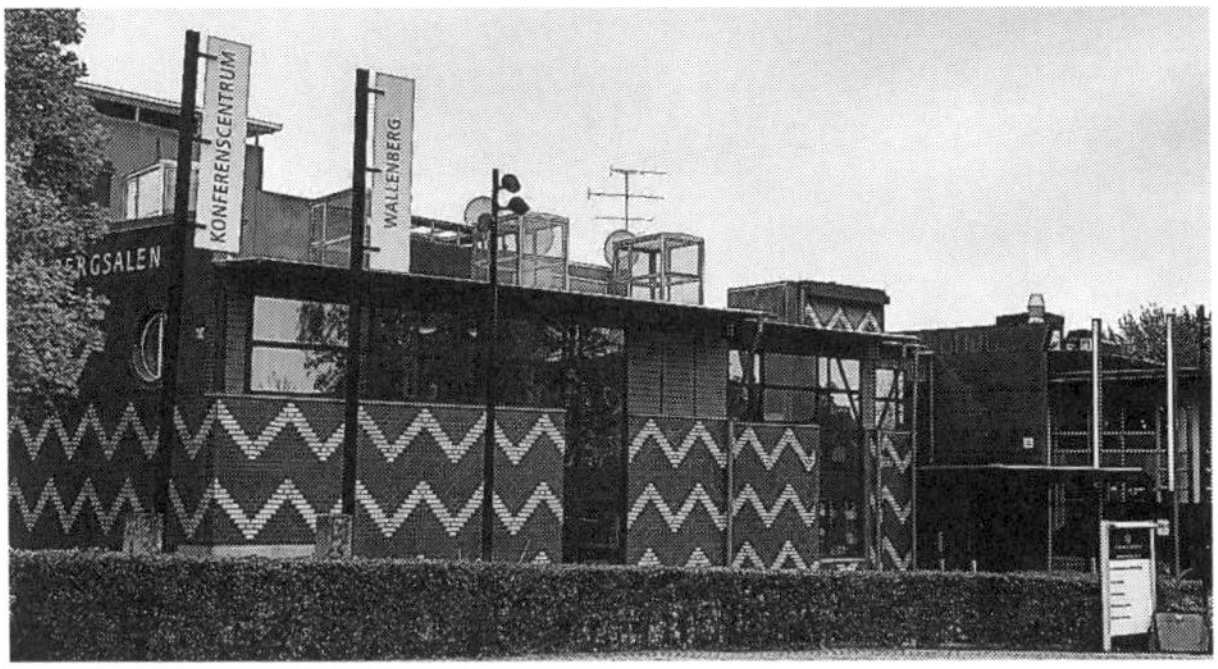

ヨーテボリ大学 ヴァレンベリ会議センター

産学官が連携して軍事産業を盛り立てている

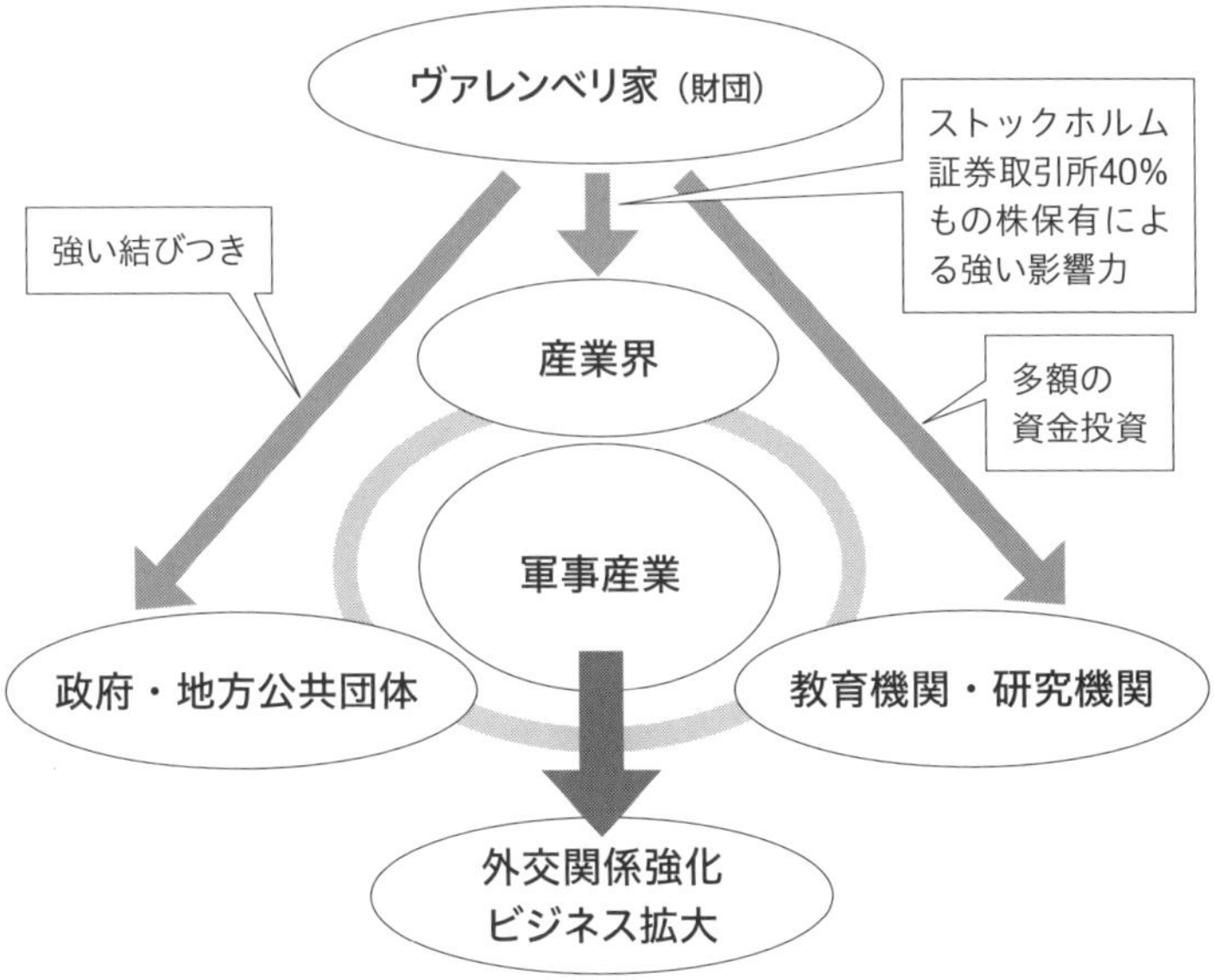

42

軍事技術の民間転用により広がるビジネス

今の社会ではなくてはならなくなったインターネットですが、もともとは冷戦時代の核戦争に備え、１つのコンピュータが破壊されても別のコンピュータが生き残るために、コンピュータ同士をネットワークでつないだ米国防総省のアパネットが始まりです。またパソコンも第２次世界大戦の際にドイツのエニグマ暗号を解読するため、イギリス政府のもと数学者アラン・チューリングがつくったチューリングマシンが由来です。このように現在ある多くの技術はもともと軍事技術であったものが民間に転用されたものも多く、その技術が今の生活を支えています。

携帯技術もアメリカの携帯電話会社のモトローラが、アメリカ陸軍の無線通信技術を参考に開発したのが始まりです。現在の携帯技術も２０１２年の日本経済団体連合会「ドイツおよびスウェーデンの防衛産業政策に関する調査ミッション報告」[16]に、「エリクソンの携帯電話の鍵となる技術がグリペンの開発の中から生まれている」と記されています。またサーブのマーカス・ヴァレンベリ会長も２０１９年のビジネスサイト「アファスリブ」[17]の中で、「サーブでは多くの産業や研究分野で技術的なスピンオフ効果を生み出している。マイクロ波分野におけるサーブとエリクソンの専門知識は、主に戦闘機を製造する技術に基づいている」と述べ、無線技術を含めた多くの軍事技術が、副産物として別の産業にも技術的な影響を及ぼしていると語っています。そして日本経済団体連合会の報告書には「グリペンの開発と生産に投じられた投資額に対して、2・6倍の波及効果が得られたという調査結果も示された」と記されています。[18]軍事産業への投資から生まれる、新たなビジネスとしての見返りの大きさがよくわかります。

その副産物の1つに特許もあります。特許を取得すると、特許使用料により長期的に利益がもたらされます。そして軍事技術から生み出された技術からも特許の取得が可能です。こうした特許は軍事特許と呼ばれるもので、一般的にはあまり知られていません。その理由として、たとえば日本とアメリカの間で交わされている「日米防衛特許協定」[19]と呼ばれる軍事関連特許には、軍事技術については日本に特許出願されても公開されないという秘密保持に関する条約があるからです。欧米の主要国にも同様な協定があるため軍事特許は一般的にあまり知られることはありません。しかしこの軍事特許の技術が民間会社へ転用されると、特許使用料や製品の世界規格の統一により、民間企業でも安定して長期的に利益を得られるのです。

実際にスウェーデンの特許申請数は非常に多く、世界知的所有権機関WIPOによると、2018年のスウェーデンの特許出願件数は4162件で世界第9位と高い位置にあります。[20]もちろんこの特許が全て軍事技術から波及したものではありませんが、小国としては非常に多い出願件数です。

ちなみにエリクソンは2006年に軍事レーダーを扱っていたエリクソン・マイクロウェーブ・システムズを、サーブに38億クローナ（約456億円）で売却し[21]、現在は公式的には軍事産業とは関わりがありませんが、2018年の出願件数は1645件と世界で第9位[22]につけています。

日本でも2014年に武器輸出三原則に代わる防衛装備移転三原則[23]が制定され、日本の安全保障に役立つなどの条件を満たせば、武器の輸出や共同開発が認められるようになりました。そのため産学官による共同研究も増え、軍事技術の民間転用だけではなく、デュアルユース（軍民両用技術）[24]も進んでおり、日本でも将来的に武器輸出による収益が増えると予想できます。

軍事産業は民間への技術転用や新たなビジネス拡大、特許による利益をもたらす大きな産業です。日本では2014年から始まったまだ新しい領域ですが、長く軍事産業の歴史を持つスウェーデンではすでに軍事関連のビジネスは存在し、その経済波及効果は大きく、そこからさらに新たなビジネスを生み出しているのです。

43 世界中の紛争国に行き渡るスウェーデン製の武器

スウェーデンはこれまで人道的見地からシリア、イラク、ソマリアなど紛争国から多くの難民を受け入れてきました。そのため欧州一優しい国とも呼ばれ世界平和に貢献しているイメージが強くあります。実際に国内でもスウェーデンは人道的な国だと信じている人が大半です。

しかしパリで2年に1度開かれる世界最大級の防衛装備見本市であるユーロサトリには、多くのスウェーデン企業が参加しています。2016年のユーロサトリでは、サーブやボフォース、自動車メーカーとしてもよく知られるボルボを含む24社が参加しています。[25] また2018年にも16社のスウェーデン企業が防衛見本市に参加し、武器や軍用車の展示を行っているのです。[26]

スウェーデンにはスウェーデン防衛産業協会（SOFF）とよばれる組織があります。SOFFは、政府や諸官庁との関係を構築し輸出市場での優先付けを行い、国内および優先的な輸出市場での取引の条件を整備し、ビジネス活動の推進を目的[27]としています。この組織は約130以上の会員企業で構成され、スウェーデンの防衛関連企業の国内・海外での活動展開の後押しをしています。2019年の大阪大学研究機関GNVの記事によると、2016年におけるSOFFを構成する企業の武器総売上高のうち、68％にあたる20億8000万ユーロ（約2600億円）は輸出によるもので、これまでに100か国以上の国に武器輸出を行っているとのことです。

ただスウェーデンの軍事企業はどこの国にでも輸出できるわけではありません。法律やEU規制、国連の武器貿易条約により、紛争当事国や内戦中の国、人権侵害などを行う独裁国などに武器輸出は行わないようガイドライン[28]を設け、外務省機関の戦略物資監察庁（ISP）[29]が武器輸出への可否判断を行っています。そのためガイドライン通りならば紛争国にはスウェーデンの武器は渡らないはずです。しかし現実には多くの紛争国にスウェーデン製の小型の火砲やミサイル類、電子機器、哨戒機や早期警戒機、レーダーなどの武器が出回っているのです。

スウェーデン平和・仲裁協会によると、[30]2019年にスウェーデンの軍事装備品輸出のうち29％が非民主主義国に輸出されており、ガイドラインがあるにもかかわらず、スウェーデンはアメリカ、インド、パキスタンなどの戦争国やアラブ首長国連邦、サウジアラビアなどの戦争独裁政権にも武器を販売しています。そして2000年には武器の総輸出額の4％が、武力紛争に参加している国に向けられていたということです。

2016年の新聞『アフトンブラーデット』[31]によれば、サーブの航空機搭載レーダーおよび監視システム・エリアイが、アラブ首長国連邦に約110億クローナ（約1320億円）で販売され、イエメン紛争に使用された疑惑も持たれています。またサウジアラビアにもエリアイは輸出[32]され、イエメン住民80％以上が避難しなくてはならないほどの大規模な空爆に使用された疑いもあるということです。さらに2019年の同紙は、このエリアイがパキスタンに販売され、カシミールにあるインド空軍の空爆に使用された可能性[33]があると伝えています。

こうした大被害をもたらした紛争国にでさえ、ISPはサーブの武器輸出許可を出しており、とてもガイドラインが適切に運用されていたとは言い難いのです。また『ヨーテボリ新聞GP』によれば[34]、スウェーデンのロベーン首相が2016年に地域開発・安全保障に関して話し合うために、サウジアラビアへ公式訪問[35]を行った際、サーブ会長マーカス・ヴァレンベリを同行させていました。『ヨーテボリ新聞』の記事では、本当にサウジアラビア周辺地域の開発と安全保障を願うのならば、武器輸出の停止をすることが重要であり、軍事企業サーブ会長を同行させるべきではないと非難しています。

スウェーデンはシリアやイラク、ソマリアからも多くの難民を受け入れていますが、実はこうした紛争国にでさえスウェーデンからの武器が多く流出しているのです。2013年の公共ラジオSRによれば[36]、シリア系スウェーデン人が18か月に渡り、シリア反政府勢力に大量の武器の密輸を行っていたことが発覚しました。また、2015年の公共ラジオSR[37]は、スウェーデン軍の戦車250両がチェコ共和国の会社を通じて密かにイラクに輸出されていたことを伝えています。さらにスウェーデンのフェミニストの平和団体である「国際平和と自由のための女性協会（ＩＫＦＦ）」は、スウェーデン製の武器がミャンマー北部やリビアとシリアの反乱軍、コロンビアのＦＡＲＣ、ソマリアのアル・シャバーブ、イラクとレバノンの政府軍で発見されたと指摘しています[38]。

スウェーデンは法律やＥＵ規制、国連の武器貿易条約により、紛争当事国や内戦中の国、人権侵害などを行う独裁国などに武器輸出は行わないはずです。しかし現実的には非常に多くの武器がスウェーデンから世界中の紛争国に行き渡り、紛争を悪化させているのです。にもかかわらずスウェーデンは今でも多くの軍事輸出を続けています。スウェーデン国立防衛大学軍事研究所のグンナー・フルト副所長も、２０１４年のフランス通信社ＡＦＰの記事[39]の中で、「スウェーデン政府は諸外国政府と同様に先進的な国防産業の技術が他の領域に拡散浸透することを知っている」と語っています。

スウェーデンは人権・平和を訴えつつも、実際には紛争国に武器輸出を行うことで、大きな利益を得てもいるのです。

武器輸出のガイドラインは全く守られていない

建て前：

・**ガイドライン**を設け紛争当事国や内戦中の国、人権侵害などを行う独裁国などに武器輸出は行わない

・**外務省機関の戦略物資監察庁**（ISP）
武器輸出への可否判断

↓ **適切に機能していない**

実際：

紛争国にも武器輸出を行い、スウェーデン製の武器が紛争国で発見

・**アメリカ、インド、パキスタン**などの戦争国や**アラブ首長国連邦**や**サウジアラビア**などの戦争独裁政権にも武器を販売

・スウェーデン製の武器が紛争国である**ミャンマー北部**や**リビア**と**シリアの反乱軍**、**コロンビアのFARC**、**ソマリアのアル・シャバーブ**、**イラク**と**レバノン**の政府軍からも発見

↓

結果：

・**軍事輸出により大きな利益を生み出す**

↓

紛争を悪化させ武器の需要を生む

44 フェミニスト外交の裏で武器輸出を行う二面性

２０１９年８月、６日間にわたり、プライドパレードがストックホルムで行われました。ストックホルムプライドは、ストックホルムで開かれる毎年恒例のフェスティバルであり、スカンジナビア最大の同性愛者の祭典です。世界中からＬＧＢＴ（レズビアン・ゲイ・バイセクシャル・トランスジェンダー）がやってきて、来場者を魅了するとてもカラフルで賑やかなイベントです。メインイベントのプライドパレードでは、個々が思いのままの衣装に身を包んで、60万人を超える人々が沿道を埋め尽くします。スウェーデン政府もこの運動にとても協力的でＬＧＢＴの人々への差別をなくすためのブースを出展し、さまざまな取り組みを紹介しています。スウェーデンでは性差別に影響されず、万人が平等な権利を行使できる社会の実現を目的とする女性解放思想や、この思想に基づくフェミニズム運動が進んでいるのです。

このようにフェミニズムが進んでいるスウェーデンですが、政府が２０１４年からフェミニズムを外交として取り入れていることはあまり知られてはいません。

２０１４年にフェミニスト外交を打ち出して以来、女性のマーゴット・バルストロム外相が中心となり、女性の経済的解放や政治参加の促進、性暴力との闘いなどを目標に取り組みを進めています。またフランス通信社ＡＦＰによると、[40]２０１８年にスウェーデン政府は重要政策としているフェミニズムに基づいた外交政策について、人権団体や諸外国の政府へ向けたマニュアルを発表したとのことです。このマニュアルの中では、スウェーデンのフェミニスト外交が「世界中の無数の女性たち、少女たちの日常生活が、いまだ差別と制度的な従属関係に特徴付けられていることを踏まえて」始まった取り組みだと説明し、ジェンダー（社会的性別）の平等は「それ自体が目標」であると同時に、平和や安全保障、持続可能な開発など、より一般的な政治目標を達成する上でも「不可欠」なものであると記されています。そのため日本を含めた世界中の国々で、スウェーデンは男女同権、差別撤廃、平和や平等の国であるというイメージがますます強くなっています。

こう聞くとフェミニスト外交はなんと人道主義でよいものだと考えがちです。しかしこのフェミニスト外交に対して専門家の間には批判的な意見も少なくありません。

スウェーデンにあるルンド大学平和紛争研究所のカリン・アゲスタム元所長は、その論文[41]の中で、スウェーデン政府はフェミニスト外交政策を実施している自国を人道的超大国であると考えているが、実際には女性差別がひどいサウジアラビアなどにも武器輸出を大量に行っている。そしてこうしたスウェーデン製の武器輸出は女性への暴力や抑圧を促進するもので、フェミニスト外交政策は考えられているほど平和主義と密接に関連していないと記しています。

またオーストラリアのモナーシュ大学政治国際関係学のジャクイ・トゥルー教授[42]も、本来のフェミニスト外交政策とは、紛争を助長する男性的な面である軍事産業複合体に立ち向かわなければならないはずだとし、しかし実際のスウェーデンのフェミニスト外交は、男女同権や差別撤廃など人権主張をする女性的な「ソフト」面を主張しつつも、安全保障という名目で武器輸出をする男性的な「ハード」面の両方の政策を展開しており、本来のフェミニズムの観点から根本的に矛盾していることを述べています。さらにスウェーデンの人権的な外交や安全保障政策は、実際は軍事支出の増加や、武器輸出を行う武器産業によって賄われているとも述べているのです。

差別撤退や男女同権など平等な権利を唱え、2014年からはフェミニスト外交も展開し、ますます平和のイメージが強いスウェーデンですが、その反面安全保障という名目で武器輸出を行い、専門家からもフェミニスト外交の矛盾を指摘されているという実態もあります。

このようにスウェーデンは、平和を前面に出した理想主義と利益を追求する功利主義の二面性を持ち、その両面を状況に応じ巧みに使い分け、政策を実行しているのです。

8章

移民・難民の流入に歪むメディア

45 ここはアフリカ？街にあふれる移民・難民

スウェーデン人のイメージとしては背が高く金髪で、いかにもヨーロッパ人らしい白人といったところでしょうか。しかし今のスウェーデンの印象はだいぶ変わっています。知人のイラン系スウェーデン人が出張で日本に行ったときに、どこの国の人かと聞かれ、「スウェーデン人です」と答えたところ、「スウェーデン人は肌や髪も黒いのですか？」と驚かれたと話してくれました。日本ではスウェーデン人というと白人のイメージなのでしょう。たしかに彼はスウェーデン国籍を取得している正真正銘のスウェーデン人なのです。非白人が多いのは、１９８０年に起きたイラン・イラク戦争で多くのイラン人がスウェーデンに難民として渡り、その後国籍を取得したからです。そのため街を歩くと中東系の人たちが多くいるのです。

イランからの難民だけでなく、スウェーデンは１９９０年代のユーゴスラビア紛争からの難民として、10万人以上のボスニア人やアルバニア人を受け入れています。そのため一見スウェーデン人のように見える人たちでも、話を聞くと実はユーゴスラビア系のスウェーデン人ということもあり、ひと目だけでは誰が先住のスウェーデン人なのかわからなくなってきています。

さらに2014年以降は、以前にも増して多くの中東系、アフリカ系の人たちが増えました。2013年9月にスウェーデン移民局が、シリア紛争から逃れてきた全ての人に永住許可を付与したためです。その後多くのシリア人がスウェーデンに難民としてやってきました。スウェーデンでは、2015年には16万3000人[1]もの難民を、シリアやアフガニスタン、イラクなどから受け入れました。

街なかの難民

ただこうした難民の多くは市内中心部から離れた地区に住んでいます。政府は多くの難民を受け入れたものの、スウェーデン人があまり好まない地区に住居提供をしたので、難民が隔離された地区に住むケースが多くあります。そのためこうした場所を訪れると、ここはアフリカや中東ではないかと感じてしまうほどアフリカ系や中東系の人がたくさんいるのです。特に大都市では難民や移民の数が非常に高く、2014年、スウェーデン全体の移民とその家族（外国に背景を持つ人）の割合が21・5％[2]なのに対し、ストックホルムでは31・1％、ヨーテボリでは32・4％、マルメでは42・6％にも達しています。特にマルメは片親が移民である場合（スウェーデン生まれの親と外国生まれの親を持つスウェーデン生まれ）を合算すると50・9％と半数を超え、先住スウェーデン人よりも移民の割合の方が高くなっています。さらに最近は非常に多くの中国人やインド人を街で見かけます。これらの人たちは難民ではなく労働者としてやってくる人たちです。企業が人件費が安い中国企業やインド企業を多く利用しているためです。反対に中国企業の力が強くなったことも理由の1つです。スウェーデンの自動車メーカーとして有名なボルボ・カーズですが、2010年に中国のジーリーホールディンググループに買収され、中国企業の傘下となっています。ボルボ・カーズの本社のあるヨーテボリ市には、2020年に3500人の社員を収容できるジーリーイノベーションセンターが建設[3]され、さらに多くの中国人や中国企業がヨーテボリ市に進出してきています。

こうした急激に増えた移民・難民の増加にスウェーデン国内では不満が高まり、これまで難民の受け入れを支持してきた世論も大きく変わりはじめました。今まで人種差別政党とも呼ばれてきた、ナショナリズム思想で反移民政策を主張するスウェーデン民主党の支持率が急速に高まっているのです。2019年11月の『ヨーテボリ新聞』の調査[4]によると、与党の社会民主党の支持率24・4％に対し、スウェーデン民主党は23％とほぼ同率となり、政権交代の可能性まで出てきました。

現在のスウェーデンは難民や外国人労働者の増加により、アメリカのような多民族国家になりつつあります。そしてこれまで難民に寛容であったスウェーデンも、反移民政策やナショナリズム思想にも傾きはじめているのです。

46 右肩上がりの人口増は 移民・難民というカラクリ

２０１９年に国内で生まれた日本人の数は、明治32（１８９９）年に統計を開始して以来、はじめて90万人を割ることが厚生労働省の推計でわかりました。[5] 人口減少も深刻で、死亡者数から出生数を差し引いた人口の自然減は51万２０００人と、こちらもはじめて50万人の大台を超えて、わずか１年で鳥取県が消滅するほどの急激な人口減となりました。

一方、スウェーデンの人口は着実に増加しています。スウェーデンでは40年近くに渡り経済的支援施策や仕事と子育ての両立支援施策を進めてきたこともあり、２０１９年の人口は１０３２万人と、２０００年の人口８８８万人と比べて、20年間で１・１６倍に増加しています。合計特殊出生率を見ると１９７８年に１・６０まで下がった後、１９８９から１９９２年には２・０以上に回復し、１９９７から２００１年まで再び１・６を超えなくなり、２００６年から２０１６年まで１・８５以上、２０１８年も１・７６と、[6] １９８６年以降には常に日本より高い出生率を保持しています。

数字の推移だけ見ると、一見早くから経済的支援施策や仕事と子育ての両立支援施策を整備し少子化対策に乗り出したことが、人口増加につながっているようにも感じられます。しかし2018年のスウェーデンの合計特殊出生率は1・76で、人口維持に必要な合計特殊出生率2・07[7]には届いておらず、いくら日本より高くても人口増加には至らないはずです。スウェーデンの人口を増加させているのは実は移民・難民の増加なのです。

1900年代はじめのスウェーデンの人口は510万人で、そのうち外国生まれの人は3万6000人弱であり、移民の数はそれほど多くありませんでした。しかし1950年代と1960年代に高度経済成長を経験し、多くの新規労働者を必要としたため、当時失業率の高かったフィンランドなど北欧諸国から多くの労働者が移民としてやってきたのです。そして1969年から1970年には北欧諸国の移民者の数がピークに達し、4万人[8]を超えました。

その後は北欧からの労働移民者ではなくイランやイラク、ソマリア、旧ユーゴスラビア、シリアなど世界の多くの紛争地域から難民を受け入れることで、スウェーデンの人口は増加していきました。特に2015年にはシリアなどから16万3000人[9]もの大量の難民を受け入れました。広島修道大学商学部の川瀬正樹教授は、論文「スウェーデンにおける移民の流入と居住分化」[10]の中で、移民とその家族（外国に背景を持つ人）が全人口に占める割合は2002年には15・2％だったものが2014年には21・5％にまで増加する一方で、先住スウェーデン人（スウェーデンに背景を持つ人）の人口は、2002年の約703万人から2014年の約694万人へと減少しており、スウェーデンにおける右肩上がりの人口の増加は移民の増加によるもの

増えているのは実は移民・難民

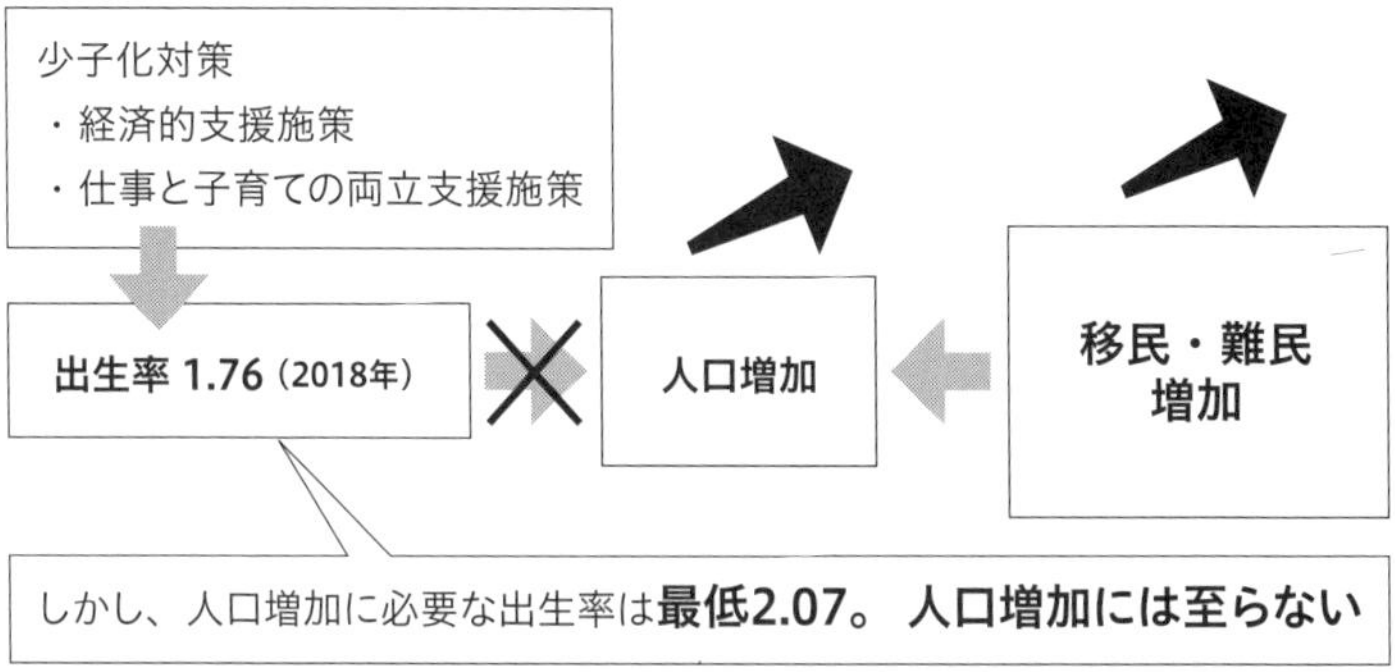
少子化対策
・経済的支援施策
・仕事と子育ての両立支援施策
出生率 1.76（2018年）
人口増加
移民・難民
増加
しかし、人口増加に必要な出生率は最低2.07。人口増加には至らない

だと指摘しています。

さらに川瀬教授は、移民の多い地区では0歳から5歳の人口割合が他の地区よりも高くなっており、これは移民による出生率が先住スウェーデン人の出生率よりも高いことを意味していると述べています。このように移民の増加はスウェーデンの人口増加を引き起こす以外にも、高いスウェーデンの出生率をも生み出しているのです。

現在、日本は人口減少や少子化に頭を抱えており、早くから人口対策と少子化問題に乗り出したスウェーデンを模範とすることが多いです。しかし人口増加や高い出生率は、移民・難民の増加によるところも大きいのです。そのためただスウェーデンを真似ても日本の人口政策や少子化対策にはつながりません。移民・難民が急激に増え治安も悪くなったスウェーデンをみていると、日本でも移民をたくさん受け入れたほうがよいとも言い難いのです。

47 増える銃犯罪、悪化の一途をたどる治安

「平和」のイメージが強いスウェーデンですが、近年では銃による事件が非常に増えており、第2の都市ヨーテボリや第3の都市マルメでは、毎日のように拳銃事件のニュースが報道されます。ヨーテボリに住むメキシコ人は、メキシコシティは治安が悪く拳銃事件も多い都市だが、テレビのニュースでしか実際の拳銃事件を見たことがないといっていました。しかしヨーテボリでは目の前で人が撃たれたのを目撃したことがあり、メキシコとスウェーデンどちらのほうが治安が悪いかは一概にはいえないと話していました。実際にスウェーデンにおける拳銃事件の数は、2017年には306件[11]にも及び、拳銃事件だけで43人[12]もの人が亡くなっています。日本の拳銃事件の数は年間22件[13]で、スウェーデンの方が約13・9倍も拳銃事件が多く、人口比で考えれば約176倍も多い計算となります。

2018年のニュースサイト『ザ・ローカル』によれば[14]、未登録や違法な武器弾薬を所持していても、2018年2月1日から4月30日の期間中に自発的にスウェーデン警察に提出すれば、罪に問わないという恩赦期間が設けられました。そしてこの3か月で約1万2000の

武器が提出されました。多くは銃器でしたが、28トンの爆弾や102個の軍事兵器までもが提出されたのです。

この武器提出恩赦期間は2018年がはじめてではなく、過去に何度も実施されています。1993年には1万7000の銃器と15トンの弾薬、2007年には1万3000の銃器と14トンの弾薬、2013年には1万5000の武器が提出されており、何度恩赦を行っても一向に武器量が減っていないことがよくわかります。自発的に提出された武器は氷山の一角であるにもかかわらず、スウェーデン警察は社会にある武器の数量が減り、この結果に「満足している」とのんきに答えています。日本の警察ではありえない発言であり、銃器を本当に撲滅する気持ちがあるのかを疑う発言です。

銃だけではなく麻薬犯罪も多く発生しています。ときどき人気の少ない路上で物を交換している人をみかけますが、知人いわく麻薬の売買だとのことでした。実際に2019年の公共ラジオSRのニュース[15]で、ナイジェリアマフィアと関連するグループのうち15人が麻薬密輸で起訴されたと報道されました。オランダからデンマークを経由した132キロのコカインとヘロインの密輸であり、末端価格にすると1億1200万クローナ（約13億4400万円）にもおよぶ密輸事件でした。

さらに学校での犯罪事件も多いのです。

近年で最悪だった事件は、2015年に西部のトロルヘッタン市で起きた学校襲撃事件[16]です。人種差別主義者のアントン・ランディン・ペッターソンが、黒いマスク、黒いヘルメット、黒いコート、手には剣と、まるで『スター・ウォーズ』のダースベイダーのような装いで、トロルヘッタンの学校に足を踏み入れ、剣で3人を殺害、1人に重傷を負わせた痛ましい事件でした。この事件以外にも学校内での拳銃事件や暴力事件が増加しており、学校職員に警察や民間警備会社が実施する安全講習を受けさせる学校まで増えています。犯罪率の高い南部マルメの学校では、警察の助けを借り、市内全ての小中学校の職員に安全講習を受けさせています。[17]それほど学校の治安が悪いのです。

しかし犯罪を取り締まる警察は人員不足に陥っています。警察官の給料が他の公務員より低く労働条件が悪いため、多くの若い警察官が離職[18]しているのです。2012年には179人、2015年には1.5倍の271人、さらに2016年と2017年には毎年約460人の警察官が離職しており、離職数は年々増加し続けています。2020年10月の『ヨーテボリ新聞』では、[19]警察官不足を補うためノルウェーの警察官を採用する提案が出され、多数の政党が支持するとまで報じられています。

治安のよいイメージのあるスウェーデンですが、日本とは比べものにならないほど拳銃事件が多く、治安も日に日に悪くなっているものの、警察官不足で解決策を見いだせない状況に陥っているのです。

日本とは比べものにならないほど治安が悪い

イメージ：
平和で治安がよい

警察官の人員不足
労働条件が悪いため

実際：
- **拳銃犯罪事件**は人口あたり**日本の約176倍以上**
- **頻発する爆発事件**（2018年には162件）
- **武器提出恩赦期間中の大量の武器**
- **提出量：**

1993年に1万7,000の銃器と15トンの弾薬
2007年に1万3,000の銃器と14トンの弾薬
2013年に1万5,000の武器
2018年に約1万2,000の武器
（銃器以外にも28トンの爆弾や102個もの軍事兵器）

- **強姦件数**は人口あたり**日本の80倍以上**
- **多発する麻薬事件**
- **多い校内暴力**

強姦数統計データ
警察庁『平成30年の刑法犯に関する統計資料』令和元年8月
The Local『Reported rapes in Sweden up by 10 percent』18 January 2018

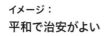

48 クリーンなはずの国で起きている数多くの汚職事件

スウェーデンの印象を聞くと多くの人が、公平でクリーンなイメージを持っており、腐敗や汚職が少ない国だと答えます。実際に腐敗・汚職に対して取り組む国際的なＮＧＯ、トランスペアレンシー・インターナショナル（ＴＩ）が発表した２０１９年の「腐敗度ランキング」[20]では、スウェーデンは汚職の少ない国上位5位で、世界でも腐敗が非常に少ない国だと示されています。しかしそれは本当なのでしょうか。

２０１９年9月に通信機器メーカーであるエリクソンで巨額な汚職事件[21]が発覚しました。日本でも大きく報道されたこの事件では、エリクソンが中国など5か国で政府高官に賄賂を贈るなど不正を続けていたとして、米司法省（ＤＯＪ）と米証券取引委員会（ＳＥＣ）へ、合わせて制裁金等約10億６０００万ドル（約１１１３億円）支払うこととなりました。２０１８年に起きた日産自動車前会長カルロス・ゴーンの不正報酬[22]で、ゴーン被告と日産がＳＥＣに支払った制裁金は１６００万ドル（約16億８０００万円）ですから、支払い額で比較するとエリクソン汚職事件は日産不正報酬事件の66倍も大きな汚職事件なのです。こうした巨額な不正事件に対し、現在のエリクソンCEOボリエ・エクホルムは公共テレビSVTの中でこの汚職事件を「歴史的問題領域」と呼び[23]、昔から汚職が行われてきたことを語っています。

この事件以外にも、スウェーデンでは今までに非常に多くの不正事件が起きています。2017年スウェーデンの通信大手テリアは携帯通信事業の権益を手に入れるため、長年に渡りウズベキスタン政府関係者に3億3000万ドル（約346億円）の賄賂を支払ってきたとし、アメリカの贈収賄防止法違反で起訴[24]されました。その結果、和解金としてアメリカとスウェーデン、オランダの各当局に合わせて9億6500万ドル（約1013億円）を支払うことになりました。また2019年にデンマーク最大手ダンスケ銀行による最大2000億ユーロ（約25兆円）にも及ぶ、欧州史上最大規模ともいわれる不正な資金移転問題が発覚し、この資金洗浄にスウェーデン大手銀行スヴェットバンクも関わった疑いがあがりました。公共テレビSVTによれば[25]、ダンスケ銀行との間で2007〜2015年、少なくとも400億クローナ（約4800億円）の資金洗浄が疑われる、顧客資金の移動があったと報じられています。同年、総合機械メーカーSKFでも、取締役のナンシー・グーガルティが米国腐敗法の違反でSECの調査[26]を受けているのです。

さらに軍事企業サーブも数々の汚職疑惑があります。

2015年の週刊紙『エクスプレッセン』によると[27]、サーブは1999年に南アフリカへ戦闘機グリペンを販売した際に、10億クローナ（約120億円）の賄賂疑惑が持ち上がり、南アフリカの労働組合リーダーモーゼス・マイキソへ60万クローナ（約720万円）の賄賂が発覚しました。また2015年にグリペンがブラジルへ400億クローナ（約4800億円）で販売された際も、1800万クローナ（約2億1000万円）相当の賄賂[28]があったとし、2018年にスウェーデン首相ロベーンとサーブ会長マルクス・ヴァレンベリと他9名が、ストックホルム地方裁判所に要請され尋問を受けています。ヴァレンベリ家のラウル・ヴァレンベリ協会[29]は人権保護を唱え、2018年に国際腐敗防止会議へも参加していますが、ヴァレンベリ財団傘下企業の多くの汚職事件疑惑をみると大きな矛盾が感じられます。

2012年の日刊紙『SvD』[30]には、サーブやボルボなど多くのスウェーデンの企業が、腐敗が蔓延している国で活動し、巨額の輸出をしていることが記されています。経済制裁化中のイラクの旧フセイン政権下、国連により行われた石油食料交換プログラムを利用し、世界の2200企業が不正する史上最悪の汚職事件がありましたが、この汚職事件でもボルボやアトラスコプコ、アセア・ブラウン・ボベリ、サーブ、メンリケ、アストラゼネカ、スカニアの子会社など15社は、イラクでのビジネスを有利に進めるため、フセイン政権に賄賂を支払っていたとし国連の調査官に告発[31]されています。

このように多くのスウェーデン企業は腐敗している国で積極的にビジネスを展開し、輸出を伸ばしているのです。2019年SVTの経済コメンテーターヨハンナ・セルベンカは「スウェーデンは腐敗した国でないといつも言ってきたが、それが真実でないことは明らかだ」[32]と

公平でクリーンなイメージの裏側

腐敗度ランキング
汚職が少ない国上位に常にランクイン

↓

公平でクリーンなイメージ

↕ **大きなギャップ** →

トランスペアレンシー・インターナショナルによる腐敗度調査：
・「公共部門」の腐敗度を示す腐敗度ランキングであり**民間汚職事件は反映されない**
・**腐敗認識指数**（CPI）は実際の腐敗事件の件数や規模を測定した数値ではなく、市民がどのように**「認識」しているのかを測定**

↓

実際：非常に多い民間企業による巨額な汚職事件

・**例：**
・2017年、スウェーデンの**通信大手テリア**
政府関係者に**3億3,000万ドル**（約346億円）**の賄賂**、和解金としてアメリカとスウェーデン、オランダの各当局に合わせて**9億6,500万ドル**（約1,013億円）**支払い**
・2019年、**デンマーク最大手ダンスケ銀行による最大2,000億ユーロ**（約25兆円）にも及ぶ不正な資金移転問題に、**スウェーデン大手銀行スヴェットバンクも関わった疑惑**
・2019年、**エリクソン**が中国など5か国で政府高官にわいろを贈るなど不正を続けていたとして、アメリカ当局へ**制裁金等約10億6,000万ドル**（約1,113億円）**の支払い**
・1999年、**軍事企業サーブ**が南アフリカへサーブ戦闘機グリペンを販売した際に、**10億クローナ**（約120億円）**賄賂疑惑**
・2015年、**軍事企業サーブ**がグリペンがブラジルへ400億クローナ（約4,800億円）で販売された際も、**1,800万クローナ**（約2億1,000万円）**相当の賄賂疑惑**
・国連により行われた石油食料交換プログラムを利用した**至上最悪と呼ばれる汚職事件でも**、スウェーデン企業の**ボルボ**や**アトラスコプコ、アセア・ブラウン・ボベリ、サーブ、メンリケ、アストラゼネカ、スカニアの子会社など15社**は、イラクでのビジネスを有利にすすめるため、フセイン政権に賄賂支払う述べ、腐敗の多さを嘆いています。

これだけ汚職が多いにもかかわらず、ＴＩが発表する「腐敗度ランキング」[33]で汚職が少ない国として常に上位にランクインするのはなぜでしょう。その理由はこの腐敗度ランキングを決める、腐敗認識指数（ＣＰＩ）にあります。『ワシントン・ポスト』によるＣＰＩの説明[34]では、ＣＰＩは実際に腐敗事件の件数や規模を測定した数値ではなく、市民がどのように「認識」しているのかを測定しています。そのためメディアで報道されず、人々がその事件を知らなければＣＰＩはよい値を示すのです。またＴＩの腐敗度ランキングは「公共部門」の汚職に関する認識のみを測定しています。

これまで紹介したスウェーデンの汚職事件は、全てスウェーデン民間企業による国外での汚職事件であり、スウェーデン国内の「公共部門」の腐敗度を示す腐敗度ランキングには一切反映されないのです。そのためスウェーデンではいくら汚職事件があっても、ＴＩが発表する公共部門の腐敗度ランキングでは腐敗の低い国として上位にあがり、クリーンな国であるイメージが世界中で持たれているのです。

49 政府に不都合な情報をひた隠す公共メディア

国境なき記者団が発表している2020年の世界報道自由度ランキング[35]では、スウェーデンは世界第4位で、日本の66位と比べてもメディアが非常に公正であることがよく知られています。またスウェーデンのメディアでは人道的問題や環境問題に関する議論がよくされています。たしかにこれらの問題は重要で、十分に議論する必要がありますが、こうした報道ばかりみていると、あたかもスウェーデンにある問題は人権・環境問題だけで、他に特に問題が起きていないように錯覚してしまいます。また日本ではメディアが事件の責任追及を徹底的に行うため、最終的に何かしら事件の結果がみえることが多いはずです。しかしスウェーデンのメディアでは人権問題や環境問題を多く扱うものの、国内の事件をあまり取り上げず、仮に取り上げたとしても問題の責任を最後まで追及していない印象を受けます。たとえば、大手通信企業のテリアが2017年に9億6500万ドル（約1013億円）もの和解金を支払う大きな汚職事件[36]がありましたが（183ページ参照）、その汚職事件があったことすら知っているスウェーデン人はほとんどいません。先にあげたエリクソンの汚職事件も同様です。誰に尋ねても知らないと返事が返ってくるため、個人的に事件を知らないというよりも、スウェーデンのメディアの報道に偏りがあると考えられるのです。

これを示すものとしてスウェーデンで起きた数多くの爆発事件があります。英国放送協会BBC[37]によると、2018年に162件、2019年9月までだけで97件にも及ぶ爆発事件がストックホルム、ヨーテボリ、マルメなど大都市の低所得者地区で起きました。同年10月にはストックホルムで3度も爆発事件が発生しましたが、公共テレビSVTでは、夕方のニュース番組でこの事件を報道せず、隠ぺいしたとして非難されています。BBCの中でスウェーデンの作家のミラ・アクソイは「SVTがよい仕事をしていない。事件を小さくみせようとしている」と語っています。

ところが、アメリカの調査機関ピュー・リサーチセンターの調査[38]によると、スウェーデンでは64％の人がメディアを信頼しており、その情報源として最多数である39％の人が公共テレビSVTや公共ラジオをあげています。またSVTを信頼すると答えた人は75％[39]、SRを信頼すると答えた人は73％にも及び、スウェーデンの国民がSVT、SRを非常に信頼していることがわかります。しかし実際にはSVTの理事会には与党である社民党員が多数いるため、SVTでは政府を批判する報道はあまりされません。

日刊紙『SvD』[40]によると、SVTの理事会には3、4人の社民党員がいて、SVTを所有するスウェーデン・ラジオ経営基金の理事にも5人の社民党員がいるとあり、SVTは与党の社

公共メディアは政府のプロパガンダ機関？

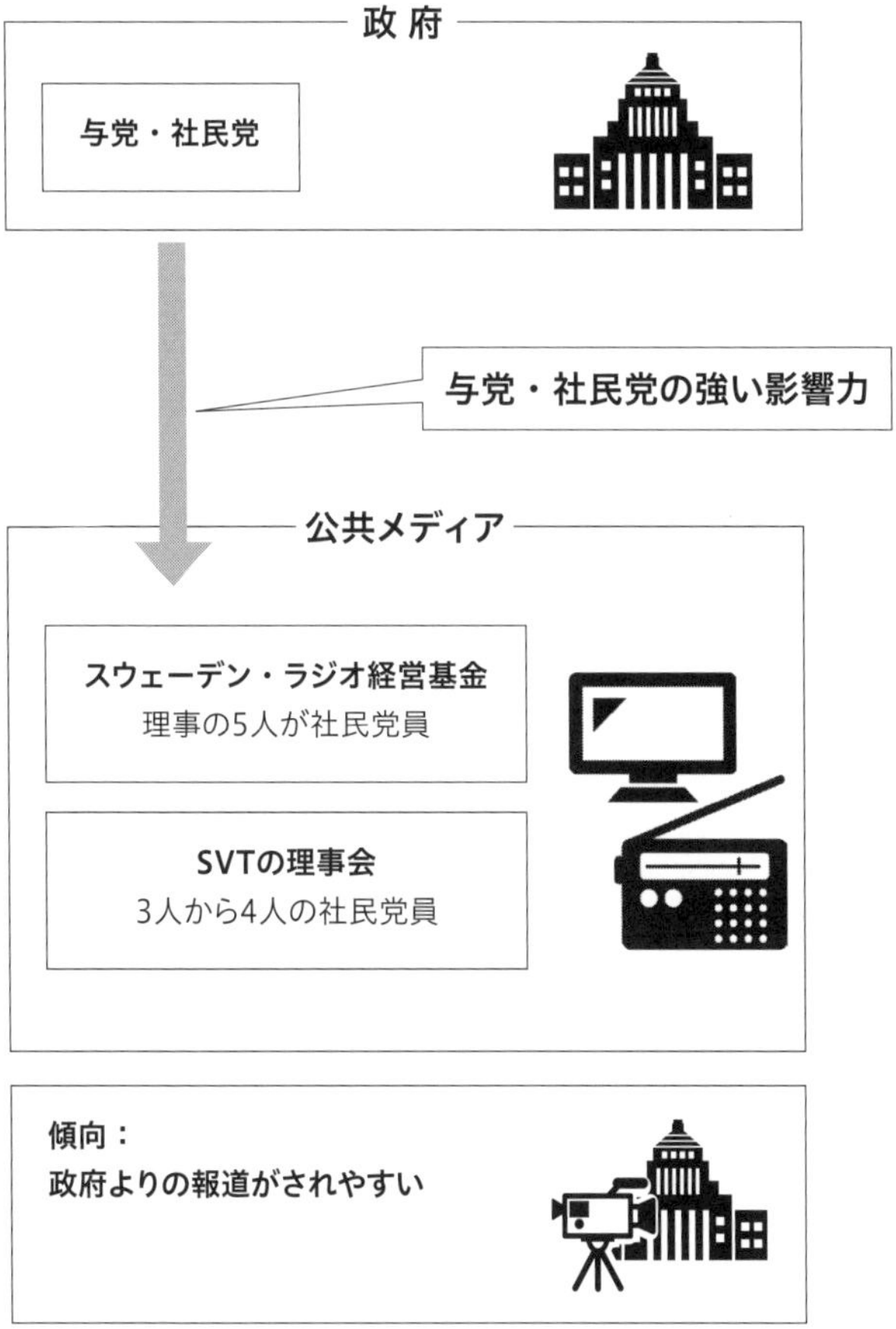

民党に政治的に偏っていることがわかります。新聞『エクスプレッセン』[41]でも、これまで独自の権限を持っていたテレビ・ラジオ審査委員会が、現在はラジオとテレビ局の一部に含まれてしまい、公平性と独立性に欠けていると指摘されているのです。その例として２０１５年７月のＳＶＴでは、多くの高い教育を受けた難民がスウェーデンにやってきており、政府の進める移民政策が成功しているような報道[42]がなされました。しかし新聞『ニーヘタ・イドック』では、実際には高い教育を受けた難民はほんの15％しかおらず、報道は虚偽であるとＳＶＴを批判しています。[43]また２０１９年10月の『ヨーテボリ新聞』でも、１つの政府系年金基金が莫大な石油投資をしていたと大きくスクープされましたが、[44]この日のＳＶＴではその報道が一切ありませんでした。代わりに香港民主化デモやモスクワの反プーチンデモなど海外の人権問題を多く報道し、政府系年金基金が多額の石油投資を行っていた事実は報道していません。２０１９年のエリクソンの大きな汚職事件発覚当日もＳＶＴでは20秒しか報道されませんでした。

スウェーデンのメディアに対し、国境なき記者団はＳＶＴと公共ラジオＳＲは政府のプロパガンダ機関になるかもしれないと警告しています。[45]また表現の自由に関する本を出版するスウェーデン人作家ウェイドゥモ・ウヴェルとヘバラインも「残念ながら現在のスウェーデンでの表現の自由はこれまでより悪くなっている」と２０１９年の新聞『ニーヘタ・イドッグ』[46]で語っています。もちろん全てのメディアに偏向報道があるわけではありません。しかし現在のＳＶＴはその組織構造からも、政府の政策を支持する偏った報道傾向が強くみられるのです。

9章

謎の一族支配と世界の権力者ネットワーク

50

富豪一族所有の財団が握る一国の運命

平等な社会として世界的に定評のあるスウェーデンですが、2019年4月の『ニューズウィーク』は、社会民主労働党率いる政府が導入する高所得者層向けの減税策を打ち出し、これまで70万クローナ（約840万円）を超える年間所得者に上乗せされていた5％の税金が、廃止されることになったと報じています。[1] OECDによればスウェーデンは他の先進諸国よりも速いペースで、貧富の格差が拡大しています。130ページでも述べたように、実はスウェーデンは、上位1％の富裕一族が24％の富を保有する非常に格差が大きな国なのです。

2013年の週刊ビジネス紙『アファースバーデン』では、スウェーデンで現在最も影響力のある15の家族が発表されています。[2] ヴァレンベリ家、カンプラード家、パーソン家、ラウジング家、ステンベック家、ダグラス家、シェーリング家、ランドバーグ家、ジョンソン家、ランディン家、ベネット家、ポールソン家、オルソン家、ボニエ家、セーダーバーグ家でした。この15の一族だけでストックホルム証券取引所の時価総額の約70％にあたる、3兆9500億クローナ（約47・4兆円）相当の株を保有しています。

なかでも群を抜いて力のある家族がヴァレンベリ家です。しかしヴァレンベリ家の存在は日本ではあまり知られていません。たしかにヴァレンベリ家の資産は合計しても10億ドル（約1050億円）[3]程度で、世界の大富豪ビル・ゲイツの資産1000億ドル（約10・5兆円）[4]の1％ほどでしかなく、世界の大富豪とはいえません。しかしヴァレンベリ家はヴァレンベリ財団を所有しており、その財団傘下に多くのスウェーデン企業を抱えているのです。財団の資産は、1兆8460億クローナ（約22・1兆円）[5]にも及び、実にビル・ゲイツの財産の2倍以上と巨額です。ビジネス的価値は2500億ユーロ（約31兆円）[6]にも上り、ヴァレンベリ家だけでストックホルム証券取引所の時価総額の約40％[7]を所有する（130ページ参照）スウェーデン経済界のドンなのです。

なぜヴァレンベリ家は個人資産ではなく、財団という形をとっているのでしょうか。週刊新聞『エコノミスト』によると、[8]高額納税の回避手段であることがまずあげられています。また別の大きな理由は、個人資産として富を保持しておくと、家族内部抗争に発展し、長い間築き上げた富を失う可能性があるからです。財団とすることで富は財団に所有され、一族のメンバーが勝手に取り出すことができず、ヴァレンベリ一族としては何代にもわたり、長期的に繁栄を続けることが可能であるためだと同紙には記されています。

総称「ヴァレンベリ財団」は16あります。財団の配下には、投資会社のインベストールABやFAMを保有し、さらにその傘下にある投資会社パトリシア・インダストリーズ、SEB銀

巨大ヴァレンベリ帝国の構成

ヴァレンベリ家　資産10億ドル（約1,050億円）

財団理事

ヴァレンベリ財団　1兆8,460億クローナ（約22.1兆円）

スカンジナビア航空（6.50%）

FAM（ヴァレンベリ財団が100%保有する持ち株会社）

FAM が株保有する企業の投票権

総合機械メーカーSKF（28,8%）
製紙業者ストラ・エンソ（27,3%）
空調機器メーカームンタース（11,4%）
スチールベルト製造企業IPCO（100%）
林業会社コッパフォルス・スコーガ（100%）
金属粉末製造企業ヘガネス（50%）
産業用パッケージメーカーネファブ（50%）
デジタルメール企業キブラ（36,5%）

以下その他の企業

損害保険会社ACR
LED用のナノワイヤー開発企業Glo
幹部育成企業リンドストローム&ゲースベルク
投資会社アルフベン&ディドリクソン
工業用3Dプリンティング企業AMEXCI
デジタルトランスフォーメーション企業コンビエント
投資会社82an
AIプラットフォーム開発企業ペルタリオン

出所：ヴァレンベリ財団,インベストールAB,パトリシア・インダストリーズ,FAM、スカンジナビア航空
（2020年6月1日時点）

インベストールAB（ヴァレンベリ財団が50%の投票権保有）

インベストールABが株保有する企業の投票権
産業機械企業グループ・アトラスコプコ（22.3%）
重電メーカーアセア・ブラウン・ボベリ（12.1%）
製薬企業アストラゼネカ（3.9%）
SEB銀行（20.8%）
通信機器メーカーエリクソン（22.8%）
鉱山機械メーカーエピロック（22.7%）
証券取引所ナスダック（11.8%）
バイオ医薬品会社ソビ（35.9%）
軍事企業サーブ（39.7%）
エネルギー関連製品企業バルチラ（17.7%）
家電メーカーエレクトロラックス（28.4%）
建設機械メーカーハスクバーナ（33.1%）
食品ソリューション企業エレクトロラックスプロフェッショナル（32.3%）

投資会社パトリシア・インダストリーズ（インベストールABの一部）が株保有する企業の投票権
医療機器企業モンリッケ（99%）
電動車いすメーカーペルモビール（96%）
内視鏡メーカーラボリエ（98%）
医療メーカーサルノバ（86%）
車椅子リフトメーカーブラウンアビリティ（95%）
製造メーカーピアブ（97%）
建築会社ヴェクチューラ（100%）
グランドホテル（100%）
携帯通信事業者スリー（40%）

グローバル投資企業EQT（インベストールABが株保有する投票権 18.3%）

行、軍事企業サーブ、産業機械企業グループ・アトラスコプコ、製薬企業アストラゼネカ、通信機器メーカーのエリクソン、証券取引所のナスダックなどの大企業の筆頭株主や大株主となり、企業をピラミッド型で所有しています。またクロス所有や議決権格差を持つ株式の発行を行うことで大企業を所有しているのです。

さらにヴァレンベリ財団の中でも1番大きなクヌート・アンド・アリス・ヴァレンベリ財団（KAW）は科学、技術、医学の研究支援をし、基礎研究のために長期的な助成を多くのスウェーデンの大学や研究機関に行っています。2019年には24億クローナ（約288億円）[9]もの巨額な助成金が提供されており、ヴァレンベリ財団は助成金を通じても多くの大学・研究機関や自治体と密接な関係を持っています。また与党・社民党とも20世紀以降に密接な関係[10]を保ち、政界とのつながりも非常に強いのです。

このようにヴァレンベリ家は多くのスウェーデンの大企業をヴァレンベリ財団の傘下とし、経済界のドンとして君臨するだけでなく、大学・研究機関といった教育機関や政界・自治体とも強く結びつき、各界に大きな影響力を持っています。

歴史的にもスウェーデンはヴァレンベリ家[11]の下で成長を続けてきました。そのため多くの新聞や経済誌などでヴァレンベリ帝国[12]や王朝[13]と呼ばれるほど、スウェーデンでは強い影響力があるファミリーなのです。

51 ヴァレンベリ傘下のエリクソン主導で進む世界の5G

一昔前の人から考えると、２０２０年という響きは多くのＳＦ映画が描いてきた近未来を感じさせる年です。名作『バック・トゥ・ザ・フューチャー』や『ブレードランナー』など、近未来を描いたＳＦ映画では、２０２０年頃には空を飛べる車も登場していますが、空を飛ぶ車どころかいまだ自動運転車も実現しておらず、若干ＳＦ映画の描く未来が先読みし過ぎていた感じではあります。

しかし１９８２年に連載が開始された大友克洋のＳＦ漫画『アキラ』は２０１９年の東京が舞台で、翌年にオリンピックを控えた東京の旧市街の再開発が進む様子が描かれ、２０２０年の東京オリンピックをぴったりと予期した驚きの作品です。

ただその『アキラ』でも１つ現在と違う点があります。それは携帯電話の存在です。『アキラ』の中ではまだ公衆電話を使用しており、携帯電話がありませんでした。多くのＳＦ映画が未来を先読みしすぎているなか、携帯電話だけは現実がＳＦ映画よりも先をいっています。

一般的に携帯というとアイフォンやアンドロイド携帯といった携帯端末をイメージしがちで

す。しかし携帯端末は携帯通信ができるインフラ環境が整ってはじめて利用できます。最近よく「5G」という言葉を耳にするようになりましたが、この言葉は携帯インフラで最も重要な無線技術が第5世代（5G）となり、4Gより更に早いスピードでデータ通信が可能になったことを示しています。そうした携帯に最も重要な携帯インフラ技術を提供する企業に、中国のファーウェイやスウェーデンのエリクソン、フィンランドのノキアがあり、この3社だけで世界の約8割[14]のシェアを占めています。日本にもNECや富士通がありますが、両社合わせても2％ほどにしかならず、世界の携帯インフラ開発は一部の通信機器メーカーが独占しているのです。

ただこうした携帯通信技術は各社独自の基準で勝手に開発しているわけではありません。各通信機器メーカーは統一した標準技術仕様に沿って開発をしています。その標準技術仕様は3GPPと呼ばれる標準化プロジェクトの中で決められているのです。この3GPPはプロジェクト調整グループ（PCG）と技術仕様化グループ（TSG）で構成されており、TSGの配下で世界各国の通信事業者や通信機器メーカーが多数集う会合が開催され、標準技術仕様を決めています[15]。

その会合で大きな技術的影響力を持ち、他社を牽引している企業がスウェーデンのエリクソンなのです。エリクソンは1876年に設立されて以降、140年以上も世界の通信技術をリードしてきた老舗中の老舗の通信機器メーカーであり、現在も標準技術仕様に大きな影響力を

エリクソンがカギを握る世界の5G市場

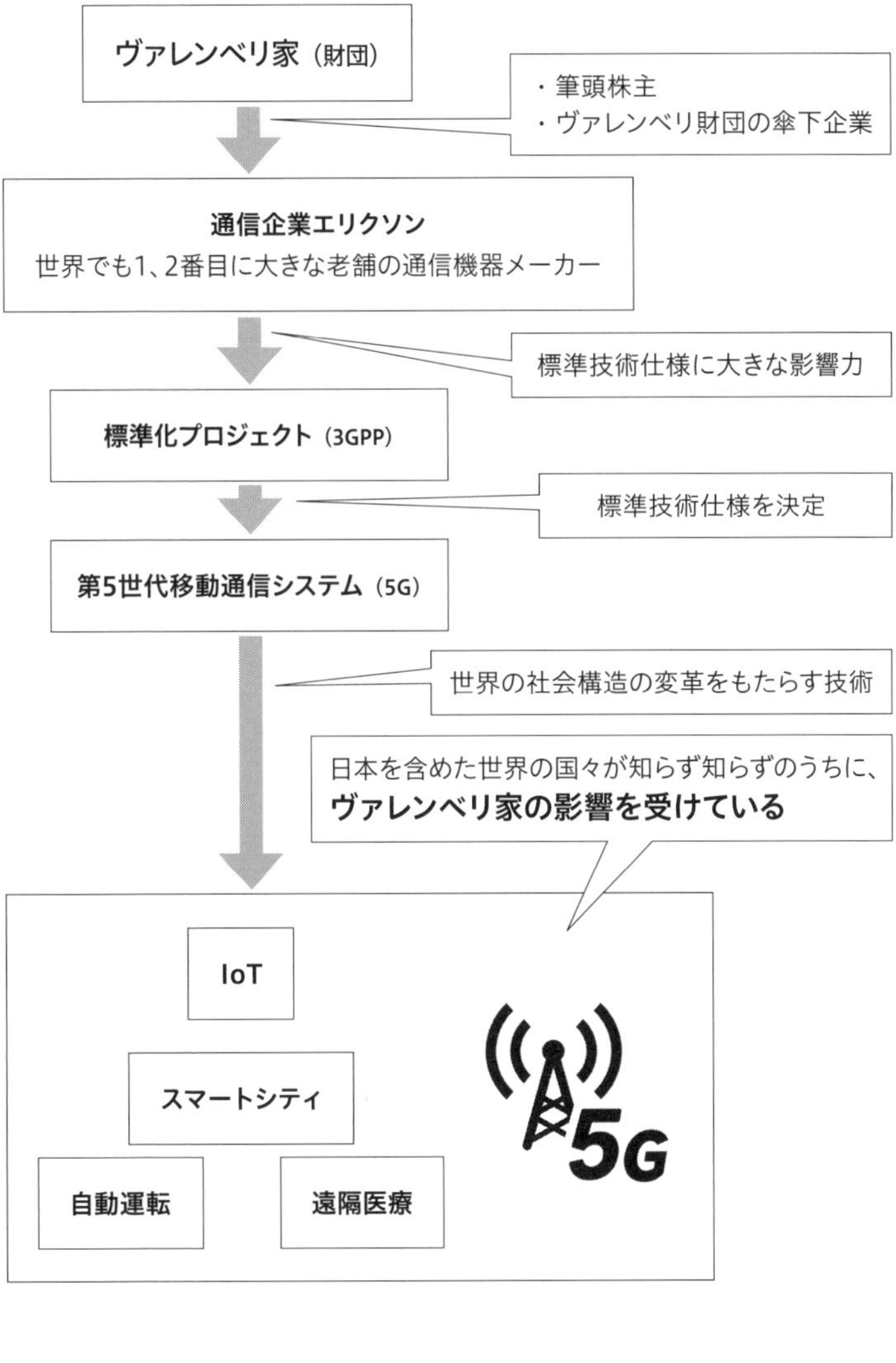
ヴァレンベリ家（財団）
・筆頭株主
・ヴァレンベリ財団の傘下企業
通信企業エリクソン
世界でも1、2番目に大きな老舗の通信機器メーカー
標準技術仕様に大きな影響力
標準化プロジェクト（3GPP）
標準技術仕様を決定
第5世代移動通信システム（5G）
世界の社会構造の変革をもたらす技術
日本を含めた世界の国々が知らず知らずのうちに、
ヴァレンベリ家の影響を受けている
IoT
スマートシティ
自動運転
遠隔医療
5G

持っています。

現在、次世代移動通信方式である５Ｇの商用サービスが開始され、世界中で展開されようとしており、その５Ｇ基地局市場は世界で約５兆円ともいわれる大きな市場です。また５Ｇは今までの４Ｇと比べ約１００倍高速であり１０００倍の大容量通信のほか、超低遅延、多数同時接続といった、あらゆるモノがインターネットでつながるＩｏＴの基盤ともなっています。５Ｇは自動運転、遠隔医療、スマートシティ構想などＳＦ映画で描かれていたような社会を実現し、社会生活を根底から変える可能性を秘めています。しかし、監視社会につながるという批判もあり、５Ｇを巡る米中覇権争い[16]の要因にもなっています。

一般的にＳＦ映画のような技術や社会は、いつの間にかなんとなく訪れてきているように感じます。しかし実はこうした自動運転[17]や遠隔医療[18]、スマートシティ構想[19]はすでに３ＧＰＰにも記載されています。逆にいうと３ＧＰＰに記載されていることが技術開発され、私たちの社会にやってきているのです。そして少し誇張して言えば、通信の歴史からも世界の通信技術をリードし、３ＧＰＰによる標準化にも大きな影響力を持つエリクソンの動向が、３ＧＰＰを通して世界の私たちの社会生活に大きな影響を及ぼしているのです。そしてこのエリクソンは大富豪ヴァレンベリ家の傘下にある企業です。

私たちの社会生活は知らず知らずのうちに、ヴァレンベリ家の影響を受けているともいえるのです。

52 米中の5G市場争奪戦のカギを握るヴァレンベリ家

２０１９年４月にホワイトハウスで開かれた第５世代移動通信（５Ｇ）のイベントでドナルド・トランプ大統領は「アメリカは、５Ｇの競争に勝たなければならない」と、力を込めて演説しました。５Ｇをめぐり各国がしのぎを削るなか、とりわけアメリカと中国の攻防は、日本を含む他の国々を巻き込んだ覇権の争奪戦へと拡大しています。

イギリスの調査会社ＩＨＳマークイットによると、[20] ５Ｇの経済効果は２０３５年までに世界で13・２兆ドル（約１３８６兆円）にのぼり、２２３０万人の雇用が創出されると試算されています。技術開発や商用化により他国に先行すれば、この巨大な市場を制することが可能なため、アメリカと中国が５Ｇの争奪戦を行っているのです。

そうした携帯インフラを提供する企業に、マーケットシェア１位の中国ファーウェイ、２位スウェーデンのエリクソン、３位フィンランドのノキア、４位中国のＺＴＥがあり、この４社だけで世界の約９割以上[21]のシェアを占めています。しかしここでわかるように、アメリカには大きな携帯通信メーカーがありません。そのため中国に対抗するために、アメリカ政府は北欧の通信機器メーカーと協力関係を結ぶ必要があるのです。これは近年のファーウェイの急成長で、1位の座を奪われたエリクソンにとって絶好のチャンスでもあったのです。

日刊紙『SvD』[22]によれば、2018年3月にアメリカのトランプ大統領とスウェーデンのロベーン首相は、ホワイトハウスで貿易と投資に関する会談を行いましたが、その会談に同行していたのがヴァレンベリ家のマルクス・ヴァレンベリ（SEB銀行、サーブ会長）やヤコブ・ヴァレンベリ（インベストールAB、エリクソン、アセア・ブラウン・ボベリ会長）、マーティン・ルンドステッド（ボルボCEO）、そしてヴァレンベリ財団の傘下企業のCEOであるホーカン・ブッヘ（サーブCEO）、パスカル・ソリオ（アストラゼネカCEO）、ボリエ・エクホルム（エリクソンCEO）、そしてビジネス・スウェーデンCEOのイルバ・バーグでした。

この会談の中で、エリクソン会長のヤコブ・ヴァレンベリとエリクソンCEOのボリエ・エクホルムは、トランプ大統領・商務長官ウィルバー・ロスと直接対話し、5Gについて話し合いました。そして翌月には早速、米連邦通信委員会（FCC）は国内の通信会社に対し、主にファーウェイとZTEの中国大手2社を念頭に置いた、安全保障上の懸念がある外国企業からの通信機器の調達を禁じる方針[23]を通達しました。また同年8月にトランプ政権は、米政府機関やその取引企業が中国の通信企業であるファーウェイやZTEを含む、中国テック企業製品の使用禁止を含んだ国防権限法案[24]に署名します。そしてイギリスやドイツ、イタリア、日本などの同盟国にもファーウェイの製品の使用禁止[25]を求める説得をはじめました。これが今も新聞を賑わす、５Ｇをめぐる米中の争奪戦のはじまりです。

さらに12月１日にファーウェイのＣＦＯ孟晩舟がカナダで逮捕されたことを受け、日本政府でも、同月７日にファーウェイとＺＴＥの製品を事実上排除[26]する方針を固めました。そして日本の通信事業者からは中国通信メーカーが排除され、北欧通信メーカーのシェア独占を生んだのです。

携帯電話基地局の世界出荷額シェア（2018年）

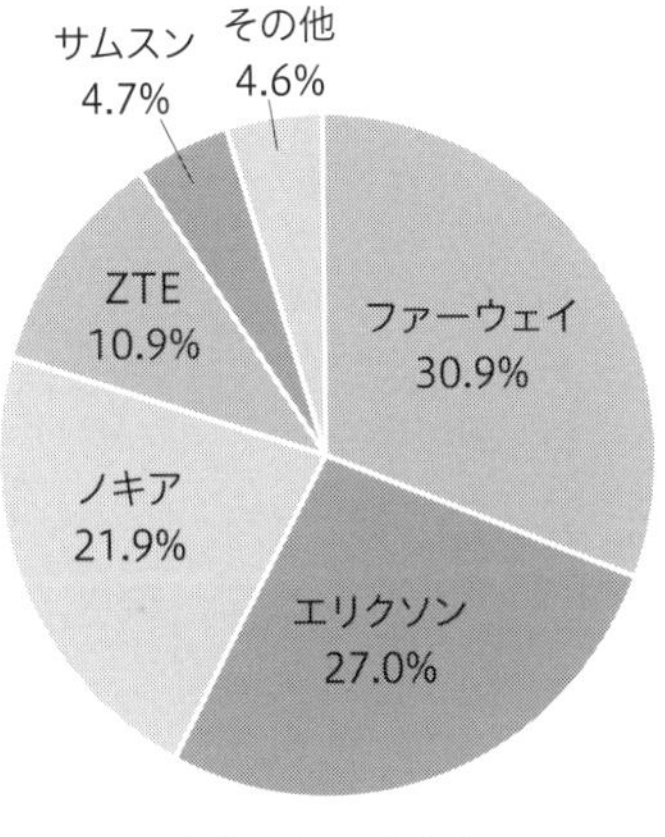

出所：IHS マークイット

ちなみに２０１８年3月の会合[27]で、トランプ大統領は、サーブ会長マルクス・ヴァレンベリが行った、サーブ・ボーイング共同開発のパイロット訓練用システムの売り込みに強い興味を示しました。その後実際にアメリカ空軍はこのパイロット訓練用システムを同年9月に採用[28]するのです。契約額はスウェーデンのＧＤＰの約１・６％弱[29]相当に当たる92億ドル（約９６６０億円）と巨額でした（１５３ページ参照）。この契約額からも、トランプ大統領とヴァレンベリ家の間で行われた対談の大きな意義がわかるはずです。

53 人権尊重・環境保護は非難をかわす隠れ蓑

2019年9月にスウェーデンの環境活動家グレタ・トゥーンベリは、ニューヨークで開かれた国連気候行動サミットに出席し、「あなたたちが話しているのは、お金のことと経済発展がいつまでも続くというおとぎ話ばかり。恥ずかしくないんでしょうか！」と地球温暖化対策を強く訴え、世界中で環境デモが起きるまでに発展する大きな出来事となりました。こうした環境保護や毎年夏に行われる同性愛者のプライドパレード、男女平等を強く訴えるスウェーデンの姿は、世界中から人権尊重・環境保護を積極的に進めるお手本となっています。

そうした人権尊重・環境保護に、16の非営利財団から構成されるヴァレンベリ財団も多くの支援を行っています。

なかでもクヌート・アンド・アリス・ヴァレンベリ財団（KAW）は一番大きな財団です。KAWは1917年にクヌート・アガソン・ヴァレンベリと妻アリス・ヴァレンベリにより、約2000万クローナ（約2億4000万円）の寄付金で設立されました。財団の目的は、国民の利益のために科学研究と教育・研究活動の促進を行うことであり、設立から292億クローナ

（約３５０４億円）以上の助成金を授与しています。そうした積極的な長期投資により現在の資産は１３８０億クローナ（約１兆６５６０億円）にもなり[30]、ヴァレンベリ財団のピラミッドの頂点にある財団となっています。

週刊ビジネス紙『アファースバーデン』によれば[31]、ＫＡＷは投資会社インベストールＡＢの投票権43％と資本の20％を所有しています。またインベストールＡＢはサーブやＳＥＢ銀行などスウェーデン上場企業数十社に加えて、多数の非上場企業の役員ポストを所有しています。さらにＫＡＷは別の投資会社ＦＡＭやパトリシア・インダストリーズを保有し、ＳＫＦなどの大企業も所有する階層的な企業所有を行っています。

要するにスウェーデンの多くの大企業をどのように管理すべきか、間接的な最終決定権を持つのはＫＡＷの理事会なのです。

ＫＡＷには理事会と評議員会があります[32]。理事会は助成金の分配や資産管理など運営に対する最終的な責任を負っています。また評議員会はスウェーデン・アカデミー、スウェーデン王立科学アカデミーなどから構成されており、財団の活動を監査し、財団の活動とスウェーデンの科学研究・教育間の調整を円滑にするための要求や提案の機会を与えられていますが、１人の理事と財団の監査人のみしか任命できません。そのため理事会の理事８人中の４人はヴァレンベリ家のメンバー（議長ピーター・ヴァレンベリ、副議長マルクス・ヴァレンベリ、ヤコブ・ヴァレンベリ、キャロリーナ・アンカルクロナ）[33]で占められており、財団の実権はヴァレンベリ家が握っているのです。こうしてヴァレンベリ家はＫＡＷを含めたヴァレンベリ財団を通して、ストックホルム証券取引所の時価総額の約40％もの株を保有し、スウェーデン経済に大きな影響を与えているのです。しかしこれだけの企業支配が明らかになると世間から非難の的となります。そのため週刊新聞『エコノミスト』には、ＫＡＷという慈善団体を設立し多額の助成金を授与することで、ＫＡＷが世間からの非難を回避する隠れ蓑の役割を担っていることが記されています。[34]

またヴァレンベリ家は、森林科学や森林産業に対して顕著な功績をあげた学者に与えるマルクス・ヴァレンベリ賞も創設しています。日本では２０１５年に東京大学大学院教授の磯貝明が受賞[35]しています。また人権保護団体としては、ラウル・ヴァレンベリ協会[36]があり汚職廃絶も訴えています。ただ実際にはヴァレンベリ財団傘下のサーブ汚職事件や、武器輸出によりイエメンやインドなどの紛争地域で人的被害や人権侵害にも関与しており、大きな矛盾があります。しかしスウェーデンにおけるヴァレンベリ家の影響力の大きさを知らない多くの人は、こうした慈善事業だけをみて、ヴァレンベリ財団やスウェーデンという国はなんと人道的で、環境にも配慮しているのだと錯覚してしまうのです。それが一握りの一族が富の大半を所有する真実や、人道主義を掲げながら武器を売る事実を覆い隠し、さらに彼らに大きな利益を与えてしまっているのです。

世間の非難をかわすしくみ

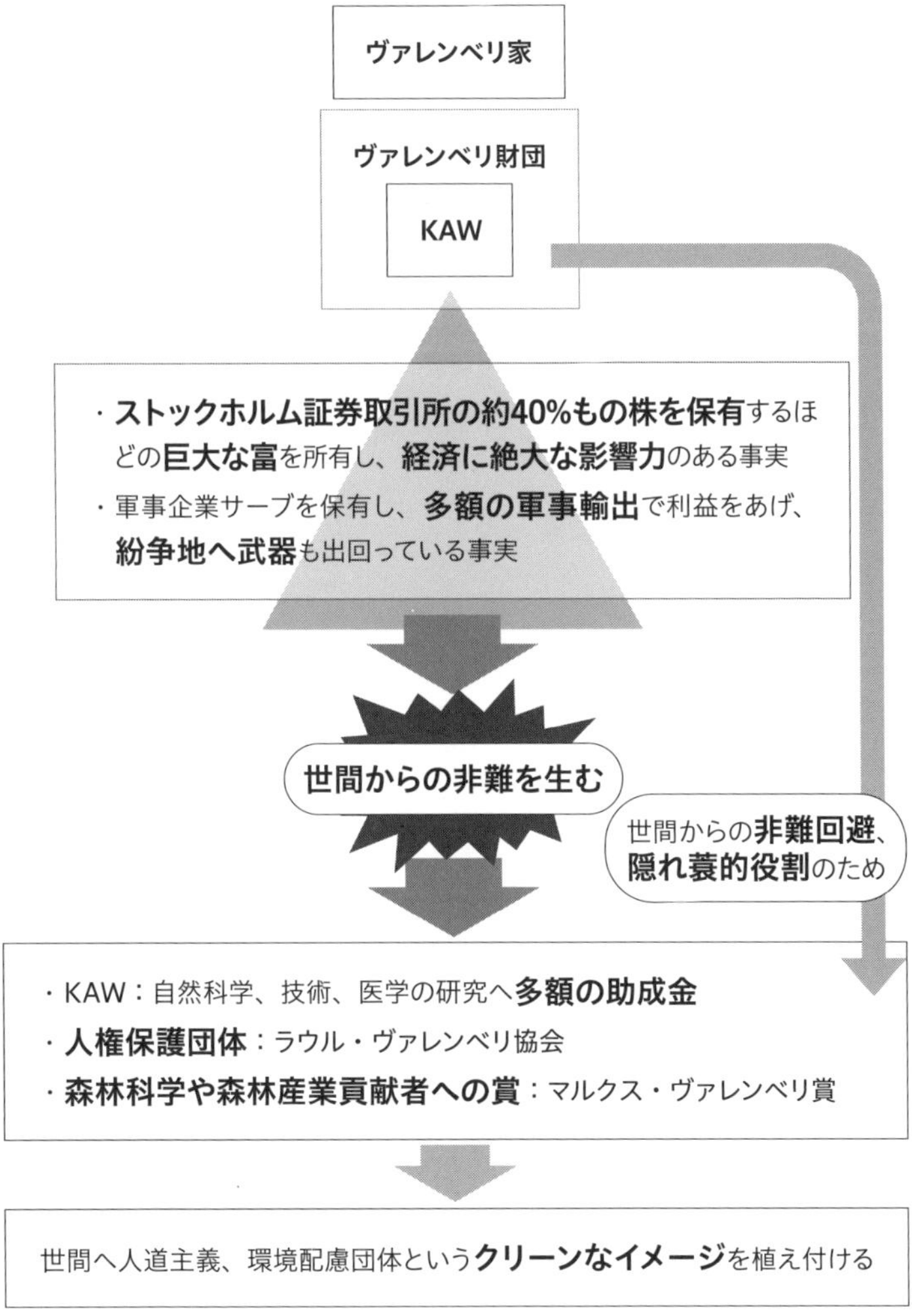
ヴァレンベリ家
ヴァレンベリ財団
KAW
・ストックホルム証券取引所の約40%もの株を保有するほどの巨大な富を所有し、経済に絶大な影響力のある事実
・軍事企業サーブを保有し、多額の軍事輸出で利益をあげ、紛争地へ武器も出回っている事実
世間からの非難を生む
世間からの非難回避、隠れ蓑的役割のため
・KAW：自然科学、技術、医学の研究へ多額の助成金
・人権保護団体：ラウル・ヴァレンベリ協会
・森林科学や森林産業貢献者への賞：マルクス・ヴァレンベリ賞
世間へ人道主義、環境配慮団体というクリーンなイメージを植え付ける

54 ヴァレンベリ家とノーベル財団の深く危ない関係

毎年、アルフレッド・ノーベルの命日に当たる12月10日に首都ストックホルムで、ノーベル賞授賞式が開催されます。授賞式後には市庁舎で晩さん会が催され、ノーベル賞受賞者は国王と同じテーブルにつきディナーを楽しむことができます。新聞『アフトンブラーデット』によれば、２０１８年のノーベル賞の晩餐会にはヴァレンベリ家のピーター・ヴァレンベリと、クラーラ夫人も出席し、国王と同じテーブルで食事をしていました。[37] 国王と同じテーブルにつけるのはノーベル賞受賞者や大臣、政治家、国外来賓など地位の高い人だけであるため、ヴァレンベリ家の大きな力やノーベル財団とのつながりがよくわかります。

ノーベル財団は１９００年にアルフレッド・ノーベルによって創設されました。ヴァレンベリ財団中最大の財団であるクヌート・アンド・アリス・ヴァレンベリ財団（ＫＡＷ）も１９１７年とほぼ同時期に創設され、両財団ともスウェーデンではとても古い財団です。そのためノーベル財団とヴァレンベリ財団は長い間、深く密接な関係を保ってきています。実際に過去のノーベル財団の理事会メンバーには、ヴァレンベリ家のヤコブ・ヴァレンベリ（シニア）[38]、マルクス・ヴァレンベリ[39]が名を連ねていました。現在はヤコブ・ヴァレンベリがノーベル財団の特別顧問[40]に就いており、ヴァレンベリ家がノーベル財団に直接的な影響力を持っていることがわかります。

現在のノーベル財団の理事会メンバーは9人中4人がヴァレンベリ財団からの助成金を受けたプロジェクトのメンバー[41]で構成されており、ヴァレンベリ家の力が間接的にもノーベル財団に及んでいることがわかります。さらに各組織の選考委員も、過去にKAWから助成金を受けたプロジェクトのメンバーが多く、2019年の物理学賞を選考するスウェーデン王立科学アカデミーでは8人中5人、化学賞を選考する同アカデミーでは8人中6人、経済学賞を選考する同アカデミーでは11人中2人、生理学・医学賞を選考するカロリンスカ研究所では6人中4人がKAWから助成金を受けたプロジェクトのメンバーです。ただ文学賞を選考するスウェーデン・アカデミーと、平和賞を選考するノルウェー・ノーベル委員会の選考委員には、KAWから助成金をもらった人は1人もいません。またKAWにはスウェーデン王立科学アカデミー元事務局長を会長として、ノーベル賞受賞者8人で構成される科学諮問委員会があり、スウェーデン王立科学アカデミーやノーベル賞受賞者とのつながりも強いのです[42]。

KAWはノーベル財団やノーベル賞選考団体にも多額の寄付や資金提供を行っています。2016年にノーベルセンター設立のため、アーリングパーソン財団と合わせて8億クローナ[43]（約96億円）もの寄付を、2018年には1500万クローナ[44]（約1億8000万円）の助成金をノーベル財団にしています。さらにKAWは長年にわたり生理学・医学賞を選考するカロリンスカ大学へ資金提供を行い、2018年には1億9500万クローナ[45]（約23億4000万円）もの助成金を拠出しています。また物理学賞・化学賞を選考するスウェーデン王立科学アカデミーにも5000万クローナ[46]（約6億円）の支援をしています。自然科学3賞の選考委員にはヴァレンベリ財団から過去に助成金を受けたプロジェクトのメンバーが多く、各団体に多額の資金提供をする理由の1つとして、この分野にヴァレンベリ財団が多額のビジネス投資をしていることが関係しています。実際に2017年の経済紙『Di』[47]で、ピーター・ヴァレンベリは「ノーベル賞はスウェーデンの絶対最強ブランドの1つだ」と述べ、ノーベル賞が研究分野だけでなくビジネスにとって非常に重要であると語っています。ヴァレンベリ家が長年ノーベル財団と密接な関係を保っていることは、ノーベル賞を通してヴァレンベリ家のビジネスに都合のよい社会へ向かわせる意図があるのかもしれません。

ちなみにKAWは、2018年には欧州日本研究所（EIJS）に400万クローナ（約4800万円）、スウェーデン日本財団（SJF）に380万クローナ（約4500万円）と、日本と関係する団体へも助成金を出しています。こうした日本への貢献もあり、両国の経済関係強化と友好親善に寄与した功績として、2019年にヤコブ・ヴァレンベリに在スウェーデン日本国大使から旭日重光章が授けられました[48]。ノーベル賞が毎年話題となる日本ですが、将来における日本のノーベル賞受賞の行方はヴァレンベリ家が握っているのかもしれません。

ノーベル賞はヴァレンベリ家のビジネスでありブランド

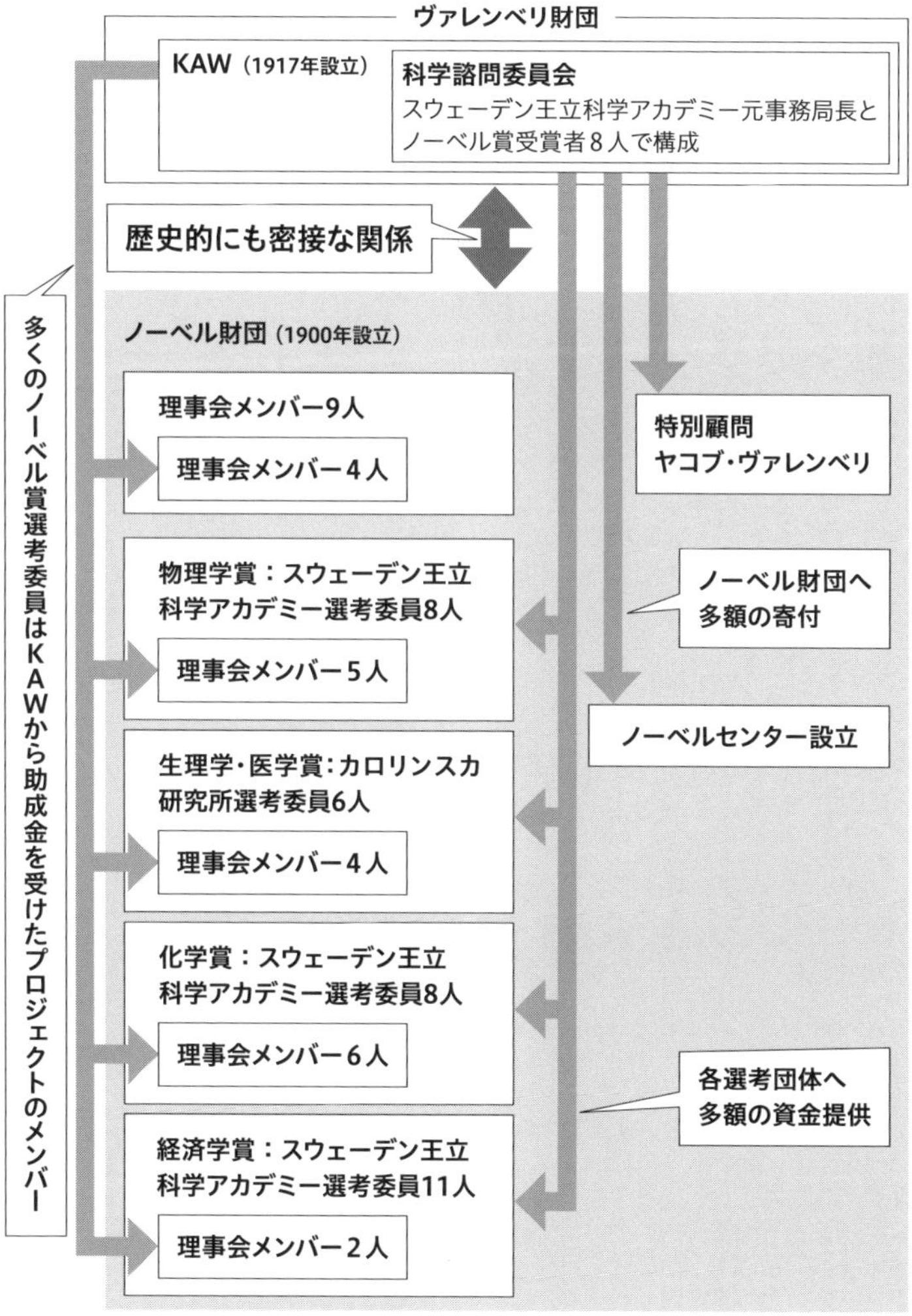

55 実は経済と深く関わるヨーロッパ王家

毎年12月10日になると世界で顕著な功績を残した人物に送られるノーベル賞が、ストックホルムのコンサートホールで開かれます。授賞式にはスウェーデンの王室が参加し、スウェーデン王国の象徴であるカール16世グスタフ国王から受賞者にメダルと賞状が贈られる、世界でも最高峰に栄誉な賞です。しかし２０１７年にノーベル文学賞を選考するスウェーデン・アカデミーで、性的スキャンダルが発覚し、翌年のノーベル文学賞が見送られることになりました。この事態を打破するため、国王は「祖先グスタフ3世が設立したスウェーデン・アカデミーにおいて、国王が権限を保持すると私は確信している。そして最近の事件を受け、私はアカデミーのメンバーの辞職に関する権利を含めた憲章を補完する必要性を検討するつもりだ」と表明[49]しました。その後実際に国王の権限行使で、スウェーデン・アカデミーのメンバー終身制度が改正[50]され、18人のうち8人が辞職[51]するに事態に至りました。

日本の天皇は日本国憲法[52]で、「日本国の象徴」で、「天皇は憲法の定める国事に関する行為のみを行い、国政に関する権能を有しない」[53]と規定されています。そのため天皇の行動は厳格に規制され、政治・経済に携わることはできません。しかしスウェーデン国王は、ノーベル賞文学賞を選出するスウェーデン・アカデミーの憲章改正ができる権利を所持しており、日本の象徴天皇とは少し違うのです。

スウェーデン王家は、日本の天皇とは異なり、経済にも関わることができます。スウェーデン王家の公式サイトによると、２０１０年に、ブラジルを訪問した際に、国王とシルビア王妃はブラジルとスウェーデン間の産業技術協力セミナーへの参加や、現地企業への訪問を行っています。[54]また２０１３年11月には、国王と国王の後援するスウェーデン王立工学アカデミー（ＩＶＡ）はともにブラジルを再度訪れ、ブラジルで最大の輸出企業航空機メーカーエンブラエル社を訪問しています。[55]シルビア王妃の父親がブラジル人であり、王妃も10年間ブラジルに居住していたことが関係しているかどうかはわかりませんが、実際にブラジルとスウェーデンは長きにわたり良好な関係を保っており、ブラジルはスウェーデンにとってラテンアメリカで最大の輸出国です。実際に在ブラジル・スウェーデン大使館後援団体「チーム・スウェーデン・ブラジル」[56]によると、スウェーデン政府はブラジルとの関係を非常に優先しています。ブラジルには２００以上のスウェーデン企業があり、約7万人を雇用し１３００億クローナ（約1・5兆円）の収益を上げているのです。また２０１３年12月にブラジル政府が36機のスウェーデン戦闘機グリペンを、約45億ドル（約４７２５億円）で購入[57]したことで、両国のパートナーシップ関係がさらに強固となりました。このように国王が力を入れるブラジルとスウェーデンは経済的にも関係が深いことがわかります。またブラジル以外でも、２０１４年1月に[58]スウェーデン皇太子夫妻は貿易大臣エヴァ・ビョルリングとともに、ドイツの商業都市デュッセルドルフとエッセンを訪れてＩＴ・通信技術に関するセミナーに参加しています。スウェーデン国内でも、２０１７年2月[59]にスウェーデン国王とカール・フィリップ王子はカナダ総督とともにボルボやエリクソンなどの企業を訪問し、自治体と企業が協力し経済発展を目指す会議へも参加しています。このようにスウェーデンの王家は積極的に国内外のビジネス会議に参加し、経済的な接点を構築しているのです。

ただスウェーデン王家だけが経済界とのつながりがあるわけではなく、２００１年の英国放送協会ＢＢＣによれば、イギリスのエリザベス女王はノルウェー国王ハーラル5世との会談の中で、バイキング時代からのイギリスとノルウェーの親族関係や共通遺産が、高度に産業化した現在の社会でも支えとなっていると述べています。[60]２０２０年8月には、イギリスの通信社ロイターにより、スペイン前国王のフアン・カルロス１世がサウジアラビアでの高速鉄道建設計画を巡り、サウジアラビアの前国王から1億ドル（約１０５億円）もの裏金を受け取っていた汚職疑惑が浮上し、国外へ脱出したというスキャンダルが報じられました。[61]

一般的にヨーロッパにある王家も、日本の天皇のように象徴であり力は持たないと言われています。しかし日本の天皇とは違い、ヨーロッパの王族は歴史的に長く続く王族同士の関係や人脈を活かして、現在の経済に少なからず影響を与えているのです。

ヨーロッパ王家と経済のつながりは深い

一般的に国王や天皇は、
現代社会では権限を有さず、政治・経済に携われないイメージ

×

実際のスウェーデン国王：

- **スウェーデン・アカデミー憲章の改正権限を有する**
- 国王とシルビア王妃はブラジルを訪問し、産業技術協力セミナーへ参加
- スウェーデン皇太子夫妻がドイツの商業都市デュッセルドルフとエッセンを訪れ、IT・通信技術に関するセミナーに参加
- スウェーデン国王と王子はカナダ総督とともに、ボルボやエリクソンなどの企業を訪れ、自治体と企業が協力し経済発展を目指す会議へ参加

↓

- **日本の天皇とは異なる**
- **積極的に国内外のビジネス会議に参加し、経済的な接点を構築している**

○

実際の日本の天皇：

日本国憲法で、天皇は日本国の象徴で、憲法の定める国事に関する行為のみを行い、**国政に関する権能を有しない**と規定

↓

政治・経済に携わることはできない

56 一族のパワーを支える秘密ネットワーク

２０１９年5月にアメリカのニュース専門放送局ＣＮＢＣは、米トランプ大統領の娘婿かつ大統領上級顧問を務めるジャレッド・クシュナーが、スイスのモントルーで行われたビルダーバーグ会議に参加することを報道しました。この会議は世界の重要問題や今後の政治経済や社会などを主なテーマに完全非公開に討議する秘密会議で、スイス公共放送協会（ＳＷＩ）は、「陰謀説を唱える人たちは、このビルダーバーグ会議が戦争を起こす力を秘め、さらには影の世界政府だと揶揄《やゆ》する」と述べています。

そのイメージを薄めるためか、近年になりビルダーバーグ会議は公式ホームページ[62]を作成しました。説明によると「１９５４年の最初の会議以来、ビルダーバーグ会議はヨーロッパと北米間の対話を促進するために設けられた、非公式な討論を行う年次フォーラムです。毎年約１３０人の政治指導者と各業界や金融、労働、学界、メディアからの専門家を会議に招待しています。参加者の約3分の2はヨーロッパから、残りは北米から来ています。３分の１は政治家と官僚から、残りは他の分野からです。この会議は主要な問題に関する非公式な討論をするためのフォーラムです」と記述しています。そしてホームページでは、その年の議論テーマと参加者リストも公開するようになりました。「秘密機関」から「口の堅い機関」へと姿を変えたとＳＷＩは言っています。[63]

２０１９年のテーマは、欧州や英国の欧州連合（ＥＵ）離脱「ブレグジット」の未来、中国、ロシア、気候変動とサステナビリティ、宇宙、人工知能、デジタルの脅威、資本主義の未来についてと、多岐にわたっています。２０１９年の参加者はジャレッド・クシュナー以外にもフランス経済相ブリュノ・ル・メール、オランダのマルク・ルッテ首相、イングランド銀行総裁マーク・カーニー、元グーグルＣＥＯエリック・シュミット、ドイツのウルズラ・フォン・デア・ライエン国防相、ＮＡＴＯ事務総長イェンス・ストルテンベルグ、マイクロソフトＣＥＯサティア・ナデラ、元国家安全保障問題担当ヘンリー・キッシンジャーなど約１３０名の世界の名だたる権力者が集まっています。

過去には元アメリカ大統領ビル・クリントン（１９９１年）、ドイツ首相アンゲラ・メルケル（２００５年）、スウェーデン王カール16世グスタフ（1995年）、スウェーデン首相ステファン・ロベーン（２０１３年）も参加しています。しかしながら、日本人は欧米人ではないためか、過去に一度もこのビルダーバーグ会議に招待されたことはありません。この世界の権力者が集まるビルダーバーグ会議に、毎年のように参加しているのがスウェーデンのヴァレンベリ家です。

１９５４年に始まったこの会議に、初めの年以外毎年、ヴァレンベリ一族もしくはヴァレンベリ財団下にある企業のＣＥＯ（軍事企業サーブ会長、投資会社インベストールＡＢ会長、ＳＥＢ銀行会長、重電メーカーアセア・ブラウン・ボベリのＣＥＯ、製薬企業アストラ会長、エリクソン会長、エレクトロラックス会長、スウェーデン企業者連盟会長など）が参加しています。さらにヴァレンベリ家はただのメンバーとしてではなく、会議の運営委員として、名だたる世界の権力者を招待する側の立場でこの会議に参加しているのです。このことからヴァレンベリ家が世界の権力者とのネットワークがあるだけでなく、その中でも高い地位にあることは間違いありません。

実際にヴァレンベリ家が世界各国の多くの政治的指導者と密接な関係があることは、公的な報道からでもよくわかります。たとえば、マルクス・ヴァレンベリが会長を務めるサーブが、２０１５年に南アフリカの労働組合リーダーモーゼス・マイキソへ行ったとされる贈収賄事件。２０１６年にスウェーデン首相が、サウジアラビア王室や外務大臣との安全保障会談のためにサウジアラビアを訪問した際、マルクス・ヴァレンベリを同行させた件。[64] ２０１８年にブラジルへ元大統領のルーラ・ダ・シルバへの贈収賄裁判で、マルクス・ヴァレンベリが尋問を受けた件。[65] ２０１８年にスウェーデン首相とマルクス・ヴァレンベリとヴァレンベリ財団傘下のＣＥＯが、トランプ大統領と会談をした件など数多の報道をみても、ヴァレンベリ家が世界の政治的指導者と深い関係があることがわかります。ヴァレンベリ一族が世界の権力者と広いネットワークを持ち、さらにその世界の権力者の中でも、高い立場にいるファミリーであることは明らかなのです。

秘密会議の運営委員も務めるヴァレンベリ家

ビルダーバーグ会議

1954年より開催され毎年約130人の政治指導者と各業界や金融、労働、学界、メディアからの専門家が集まる、ヨーロッパと北米間の対話を促進するために設けられた非公式フォーラム

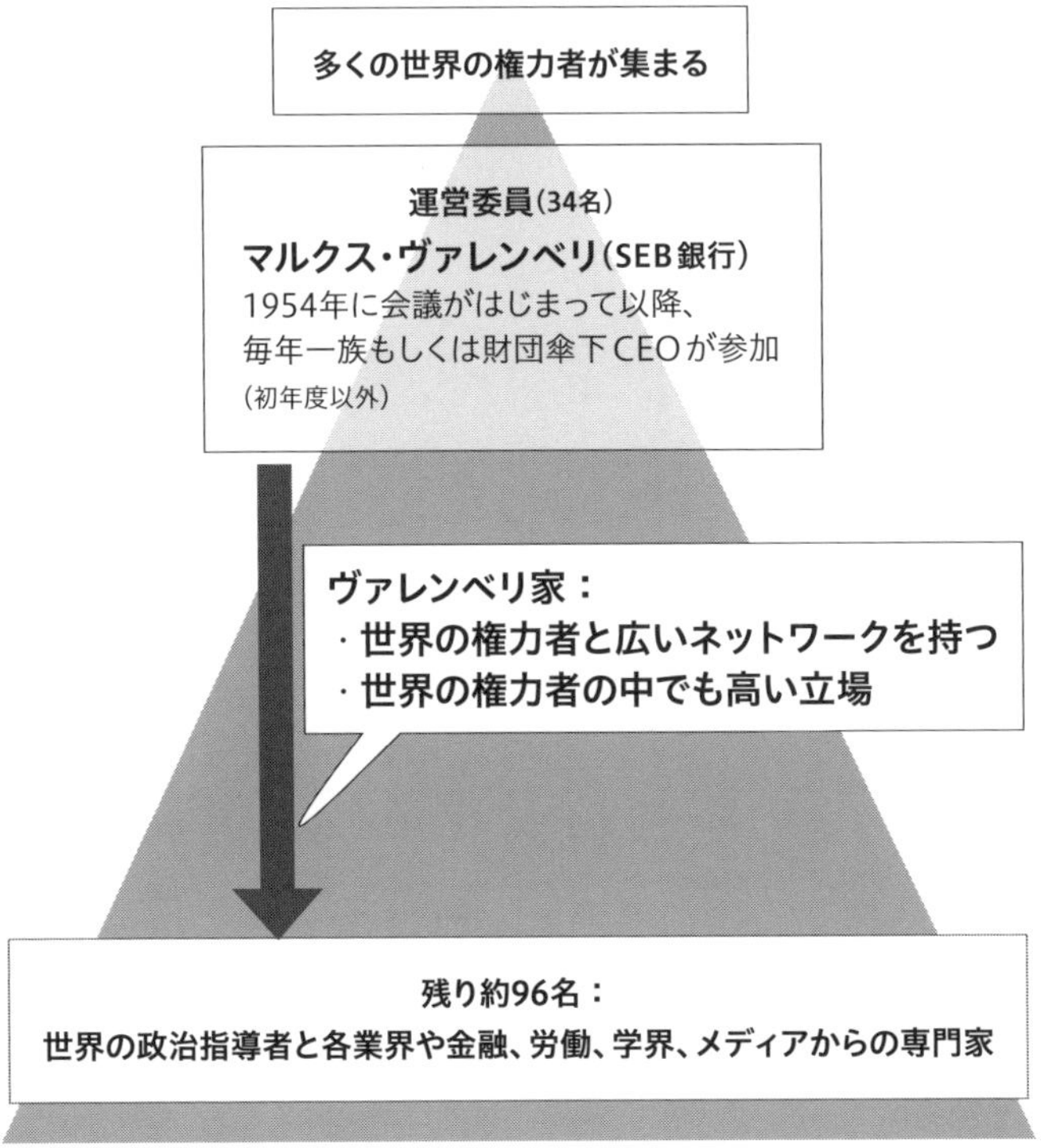
多くの世界の権力者が集まる
運営委員(34名)
マルクス・ヴァレンベリ(SEB銀行)
1954年に会議がはじまって以降、
毎年一族もしくは財団傘下CEOが参加
(初年度以外)
ヴァレンベリ家：
・世界の権力者と広いネットワークを持つ
・世界の権力者の中でも高い立場
残り約96名：
世界の政治指導者と各業界や金融、労働、学界、メディアからの専門家

57

利子制度による無限の借金ループ

これまでスウェーデンにおける一部の金持ちによる支配構造を述べてきました。しかし、これはスウェーデンに限ったことなのでしょうか？　私がスウェーデンの金持ち支配構造を書いた1つの理由として、スウェーデンがイメージと大きく違う格差社会として極端な例であり、説明がしやすかったこともあります。しかしこうした金持ちによる支配構造は決してスウェーデンに限ったことではなく、世界のどの国でもあるのです。なぜなら金持ちが支配できるシステムは、私たちが気づかないだけで、すでに生活の基盤に組み込まれているからです。ここから一握りの金持ちが世界の支配を可能にするシステムについて少しご説明していきます。

現在、日本でも多くの人たちが銀行の住宅ローンを利用して住宅を購入し、毎月のように元金と利子を返済しています。現代社会ではお金を借りた場合、元金とそれに対する利子を支払うのが一般的です。しかしなぜ借りたお金に対して当たり前のように利子を支払う必要があるのでしょうか？　普段当たり前すぎてあまり考える機会もない利子ですが、この利子とはいったいなんなのかを考えてみます。

一般的に利子とは、お金や財の貸し借りに対する賃借料のことで、利息とも呼ばれています。この利子・利息ですが、実は日本の法律には明確に定義が示されてはいません。利子について述べた有名な著書としてカール・マルクスの『資本論』、ジョン・メイナード・ケインズの『雇用・利子および貨幣の一般理論』があります。近年ではチェコ共和国の経済学者で初代大統領ヴァーツラフ・ハヴェルの経済アドバイザーを務めた、トーマス・セドラチェクがおり、彼の著書『善と悪の経済学』の中で歴史的にみた利子と利息について述べています。それによると旧約聖書ではユダヤ人が同じユダヤ人から利子をとることははっきりと禁じており、また後のキリスト教でもこの教えは踏襲され、利子をとれば罰せられていました。なぜ利子は禁止されていたのでしょう？

たとえば、この世の中にAさんとBさん2人しかいなかったと仮定します。そして、Aさんのみが1000円を持ち、Bさんにその1000円を利子10％で貸したとします。もちろん、借りた1000円はAさんに返す必要があります。ただ利子分の10％である100円も返す必要があります。でもよく考えてください。この世の中には2人しかおらず、世界には総額1000円しか存在していません。Bさんはどうやって利子分の100円をAさんに返せばよいのでしょうか？　結論からいうと、利子分100円を返すことは1000円しかない世界では不可能なのです。ですが現実の社会ではみんな借りたお金に利子を加えて返済をしています。不思議ではないでしょうか？

Bさんは利子を返せない

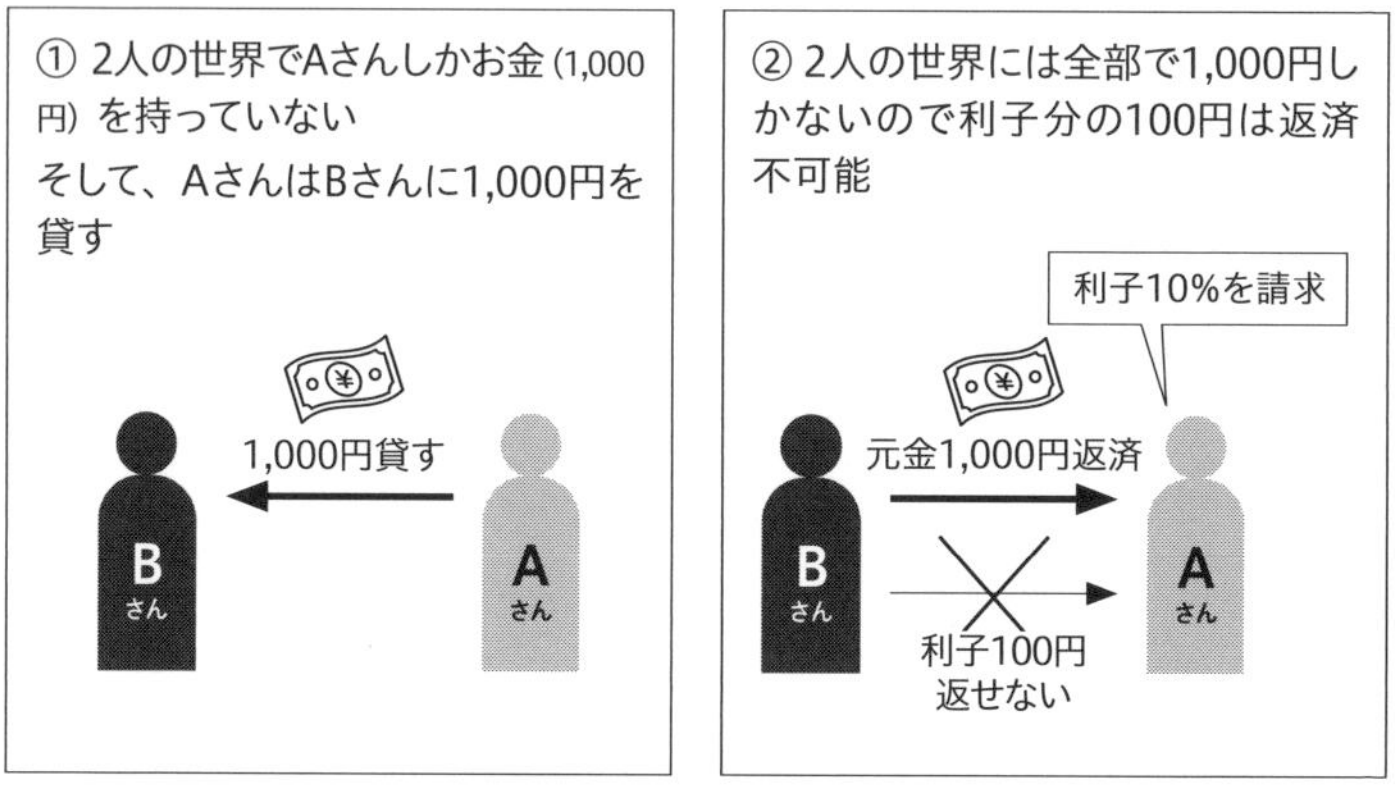

① 2人の世界でAさんしかお金 (1,000円) を持っていない
そして、AさんはBさんに1,000円を貸す
1,000円貸す
B さん
A さん
② 2人の世界には全部で1,000円しかないので利子分の100円は返済不可能
利子10%を請求
元金1,000円返済
B さん
A さん
利子100円
返せない

それではどうやって現実の社会では利子を返済しているのかをこのAさんとBさんの例を使い説明します。Bさんが借りた１０００円に利子分１００円を加えてAさんに返すためには、再度、１００円をAさんから借りて、借りた１００円を利子分として返済する必要があるのです。先ほど世の中には１０００円しかないといったではないかと思われるかもしれません。しかし現在のお金の大半は紙幣です。[66] Aさんだけが紙幣をつくれる権限があれば利子分の１００円を無からつくれるのです。このようにしてAさんは１００円を新たにつくり、再度Bさんに１００円を貸し出すのです。Bさんはその借りた１００円をはじめに借りた１０００円の利子分としてAさんに返済するのです。ただ新たに１００円を借りているので、もちろん１００円分の利子10円をまた返さなくてはならなくなります。このように一度お金を

Bさんは無限ループに陥る

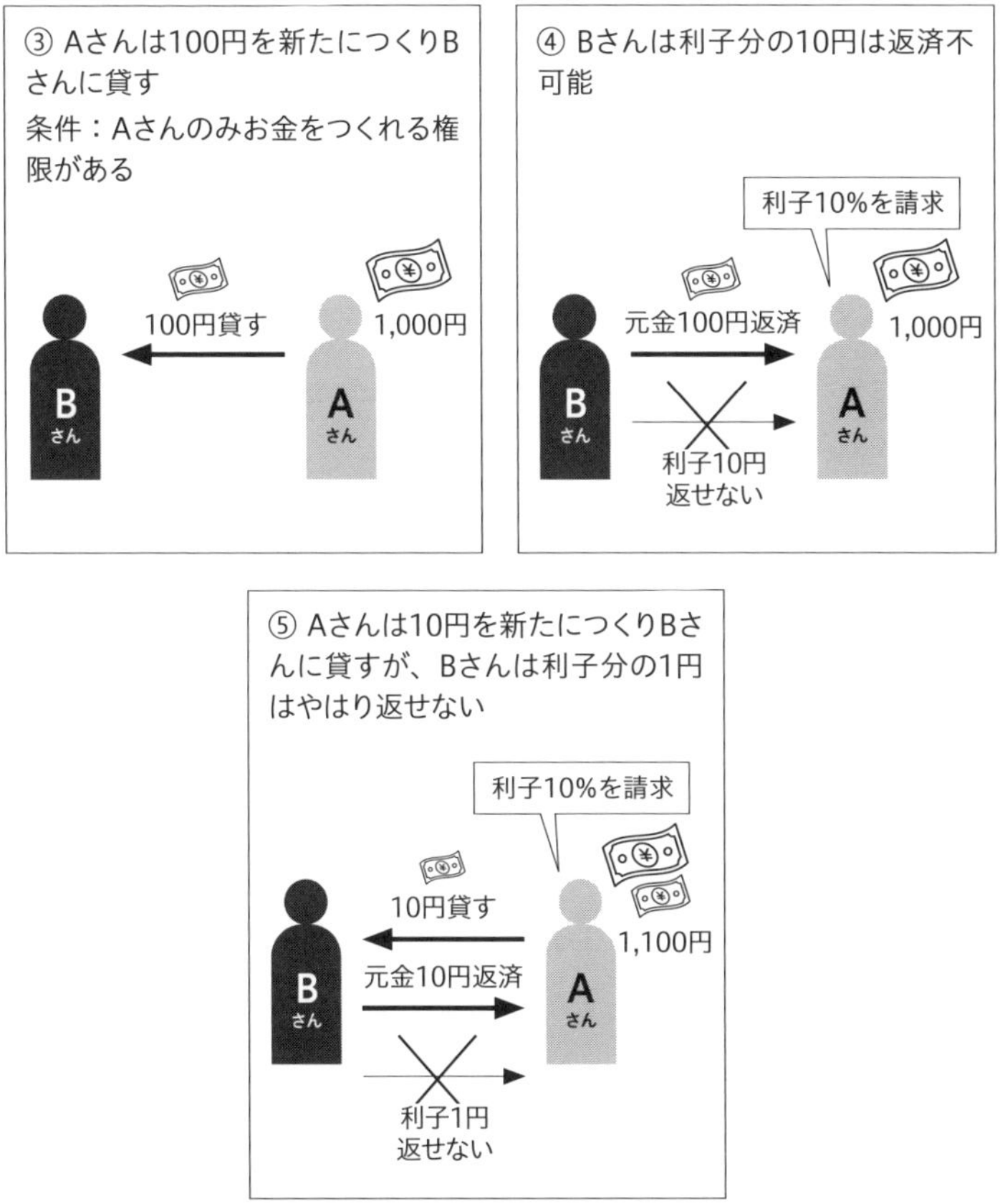
③ Aさんは100円を新たにつくりBさんに貸す
条件：Aさんのみお金をつくれる権限がある
100円貸す
1,000円
B さん
A さん
④ Bさんは利子分の10円は返済不可能
利子10%を請求
元金100円返済
1,000円
利子10円
返せない
B さん
A さん
⑤ Aさんは10円を新たにつくりBさんに貸すが、Bさんは利子分の1円はやはり返せない
利子10%を請求
10円貸す
1,100円
元金10円返済
利子1円
返せない
B さん
A さん

結論：
お金をつくることができるのはAさんのみという条件下であるため、一度お金を借りたBさんは、Aさんに永遠に借金返済をしなくてはならない無限ループに陥ってしまう

借りた人は、無限ループに陥りまたお金を借りて返済し続けなくてはならないのです。現実の社会ではお金を借りたとしても、またお金を借りずに返済できているといわれるかもしれません。ただ現実社会は2人だけではありません。世界中にはたくさんの人がいます。そのため借りている人もまた別の他の人にお金を貸すことにより、または物を高く売ることにより利子分をさらに他の人から得て、その分を利子分として返済しています。このように利子制度というものは、必ず誰かが借金を背負うシステムなのです。その反面、お金を貸した人は何もしなくても、自動的にお金を増やせるのです。現代の貨幣社会ではこの2人だけの世界とは規模が大きく違いますが、基本的にこのAさんとBさんの2人の社会と同じことをしています。

現代社会で人や企業がお金を借りる先は基本的に銀行です。また現代の貨幣社会で唯一お金をつくることが許されているのは、中央銀行と民間銀行のみです（政府硬貨も存在しますがあまりにも割合が小さいです）。そのため人々は銀行から借りた元金と利子を銀行に返済する必要があります。ただこれまで説明したように借りた元金の利子分は世の中に存在しないので、その利子分を返すためには誰かがまた銀行から新たな借金をし、その新たな借金を元に利子分を返済するという借金の無限ループが行われることになるのです。お金を貸す銀行は何もしなくてもお金を増やせますが、反対にお金を借りた側はお金を一生返し続けなくてはならなくなります。そのため旧約聖書やキリスト教ではこうした利子制度を厳しく禁止していたと考えられます。

借りた側は一生お金を返し続けなければならない

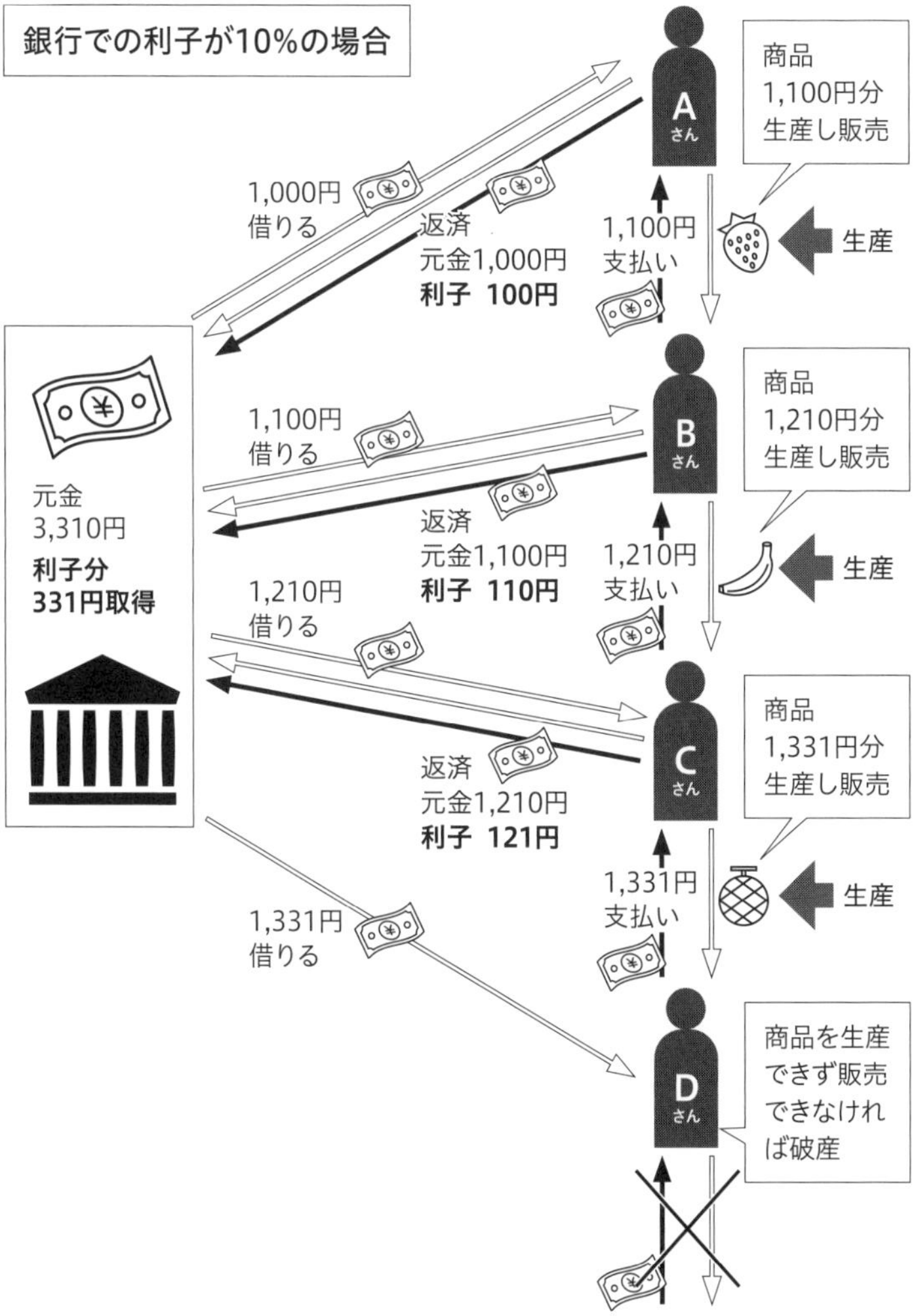
銀行での利子が10%の場合
元金
3,310円
利子分
331円取得
1,000円
借りる
返済
元金1,000円
利子 100円
1,100円
支払い
A
さん
商品
1,100円分
生産し販売
生産
1,100円
借りる
返済
元金1,100円
利子 110円
1,210円
支払い
B
さん
商品
1,210円分
生産し販売
生産
1,210円
借りる
返済
元金1,210円
利子 121円
1,331円
支払い
C
さん
商品
1,331円分
生産し販売
生産
1,331円
借りる
D
さん
商品を生産
できず販売
できなけれ
ば破産

58 株式制度下の中央銀行のピラミッド構造

現在日本で発行されている紙幣には千円札、２千円札、５千円札、１万円札の４種類があります。この紙幣はどこが発行しているのでしょう。日本銀行法をみると第46条に「日本銀行は、銀行券を発行する」と記されており、紙幣は日本銀行が発行する銀行券であることがわかります。では、日本銀行は政府の機関なのでしょうか？

日本銀行法の第１章第６条[67]には「日本銀行は、法人とする」と記され、財務省[68]によると日本銀行は財務省管轄の認可法人です。「認可法人」とは、総務省によれば、「（前略）民間等の関係者が発起人となって自主的に設立されるものであるが、その設立につき又は設立の際の定款等につき主務大臣の認可にかからしめているもの」[69]であり、日本銀行が政府の機関ではないことがわかります。さらに日本銀行法の第１章第８条には、日本銀行は政府が資本金１億円の55％以上を出資し、政府以外の者がその他の出資をすると記され、第９条には出資証券を発行するとあります。日本銀行は民間が発起人となって設立時に主務大臣が認可する半官半民の認可法人なのです。そして制限はあるものの日本銀行は、株式を公開し、ジャスダックにも上場[70]

する、株式制度下に属する組織なのです。

それでは世界の中央銀行制度の中でも中心的存在である、アメリカの中央銀行制度の米国連邦準備制度（ＦＲＳ）はどのような組織なのでしょうか。

ＦＲＳ[71]は連邦準備理事会（ＦＲＢ）、連邦準備銀行、連邦公開市場委員会（ＦＯＭＣ）の３つの機関から成り立っています。ＦＲＢは米国の中央銀行制度の中核機関であり、景気や物価の安定などを目的に市場に出回るお金の量を調整する金融政策を実施しています。連邦準備銀行はドル紙幣の発行や地域の民間銀行の監督などを担い、ニューヨーク連銀をはじめ12行で構成され、ＦＲＢが統括しています。この連邦準備銀行の株は民間銀行により保持[72]され、民間銀行は利子も受け取れます。またＦＯＭＣは短期金利をどの程度の水準に誘導するかなど、具体的な金融政策を決定するＦＲＳの中でも重要な組織です。ＦＯＭＣはＦＲＢの理事全員とニューヨーク連銀総裁、ニューヨーク以外の連邦準備銀行から選ばれた４人の総裁の計12人で構成[73]されています。要するに、ＦＯＭＣの12メンバーのうち５人が民間銀行に株保有される連邦準備銀行総裁により構成され、ＦＯＭＣは間接的に約40％も民間銀行からの影響を受けているのです。実際にＦＲＳの資料[74]には「連邦準備銀行は民間と政府が融合した特徴を持つ」と記されており、アメリカの連邦準備制度も株式制度下の半官半民の組織であることがわかります。

一般的にあまり知られてはいませんが、スイスのバーゼルに世界各国の中央銀行をまとめ、中央銀行の中央銀行と呼ばれる国際決済銀行[75]（ＢＩＳ）が存在します。

ＢＩＳ[76]は１９３０年に設立された中央銀行をメンバーとする組織で、２０２０年時点では日本を含め62か国・地域の中央銀行が加盟しています。ＢＩＳでは中央銀行間の協力促進のための場を提供しているほか、中央銀行からの預金の受け入れなどの銀行業務も行っています。

ＢＩＳの規定「国際決済銀行の法令」１条[77]に「ＢＩＳという名のもとでの株式会社」と記載があるため、ＢＩＳも株式制度下にある組織だとわかります。また株の主な所有者は各中央銀行ですが、18条[78]によると２００１年１月８日まで個人株主が存在していたことが記されています。その個人株主は発行株数52万９１６５株のうち、７万２６４８株と13・７３％もの大量のＢＩＳ株を保有していたのです。

このことからＢＩＳも株式制度に基づいた半官半民の組織であることがわかります。そして現在の中央銀行制度はＢＩＳを上位機関とし世界の62か国の加盟中央銀行が株式制度の下で連結する、巨大なピラミッド型の半官半民の金融組織なのです。

国際機関の１つに、加盟国の出資金を原資として国際収支が悪化した国に融資を行う国際通貨基金（ＩＭＦ）[79]があります。ＩＭＦでの議決権は一国一票でなく、クォータ[80]という加盟国の出資割当額により加盟国の投票権、ＩＭＦ資金の利用限度、特別引出権の配分が決定され、出資割当額により各国のＩＭＦでの議決投票数が変わります。このことからＩＭＦも株式制度と似た出資型の組織であることがわかります。そして最高意思決定機関である総会のメンバーは加盟国の財務相または中央銀行総裁が選任されるため、ＩＭＦも半官半民である各中央銀行の

世界の金融機関も結局株主に牛耳られている

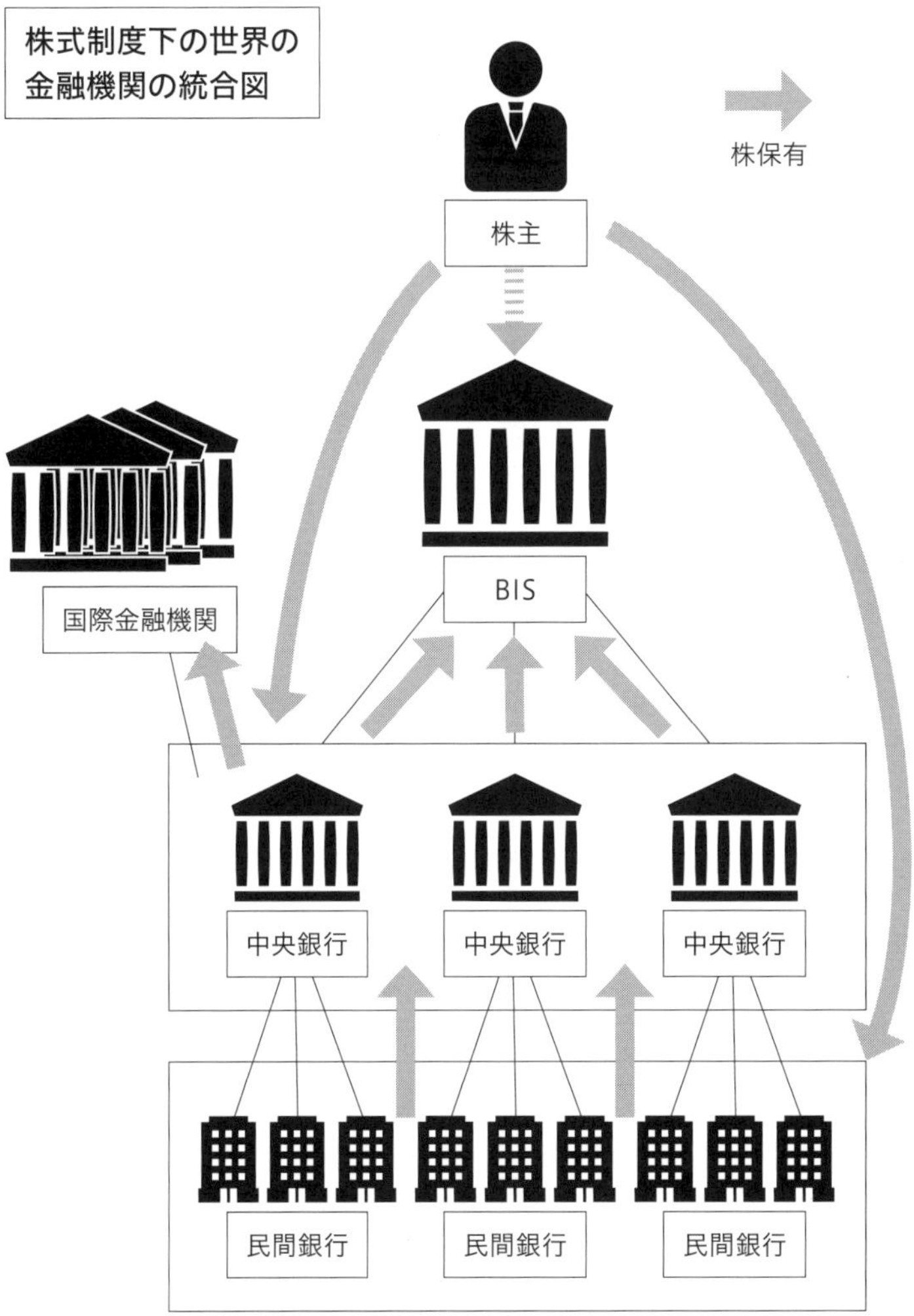

意見が反映される半官半民の組織なのです。
また別の国際金融機関にＩＭＦの姉妹機関ともよばれ大きな役割を果たす世界銀行がありま す。世界銀行は通称で、通常国際復興開発銀行と国際開発協会のことを指します。ただ世界銀行グループといった場合は国際金融公社、国際投資紛争解決センター、多数国間投資保証機関も含む５つの組織を指します。各世界銀行グループでの投票権は、国際復興開発銀行と国際金融公社では保有株１株につき１票の投票権と基礎投票権で構成、国際開発協会では出資金投票権と加盟メンバー投票権で構成、多数国間投資保証機関では保有株１株につき１票の投票権と等価投票権で構成されています。[81]
このように世界銀行も加盟国の出資により構成される株式制度と似た制度下にある組織なのです。そしてＢＩＳや各中央銀行と国際金融機関はともに株式制度下の組織として結合できます。また株主制度である性質上、組織上位に金融機関の株を保有する大株主がいます。
世界の金持ちは大株主となることで、株式制度を通し世界の金融機関に大きな影響を与える力が持てるのです。その大株主の１つにＳＥＢ銀行を保有するヴァレンベリ家もいるのです。

59 これからも続く一握りの金持ちによる世界支配

ここまで、ヴァレンベリ家のスウェーデンの支配構造だけではなく、基盤となる利子制度と株式制度下の金融機関構造を示してきました。そして前項では、株主制度下の中央銀行制度を通してみると、世界中の金融機関が1つの巨大な組織であることがわかりました。利子制度による債権・債務関係を加えた図からもわかるように現在の金融制度が株式制度である性質上、その頂点には株主が存在します。そして株主は株を保有する金融機関に強い影響力を与えることができ、さらに配当という利子も受け取れるのです。その利子は国民の借金や国家が中央銀行等に国債という借金を抱えることでつくり出されます。そのため国家も世界の中央銀行制度の傘下にあるといえ、その金融制度の頂点にいる株主の影響を受けていることがわかります。その1つの例が、スウェーデンのSEB銀行や、ストックホルム証券取引所の時価総額の約40%もの株を所有するヴァレンベリ家なのです。彼らは金融機関の大株主になることで、株式制度下にある金融機関を通して、現行の金融制度下では債務者に当たる国家にも強い影響力を与え、世界を支配することも可能なのです。

また、現行の金融制度には別の問題もあります。現在の金融制度は、利子制度のもとにある利子という存在しないお金を返済するため、新たな借金をつくり出し、借金の連鎖を続けることで金融制度を維持しています。反対にいうと、新たに借金がつくられないと今の金融制度は崩壊してしまうのです。そのためいかに新たな投資先を見つけ、経済成長という名の下で人々に新たに借金をさせていくかが現在の金融制度存続には必然です。一世代前までは植民地という投資先を広げることで金融制度を維持し、近年は中国や、インドなど開発途上国へ市場を拡大することで維持しています。ムリな開拓は環境破壊を引き起こしますが、新たな開拓先がなくなると現在の金融制度は維持できないため、たとえ環境破壊が進んでしまったとしても開拓先をみつけ、有限である資源を掘りおこして商品を永遠に生産し消費し続けなければならないのです。環境を犠牲にしてつくられた富は、利子制度により金持ちをますます金持ちにし、金持ちはさらに株を保有することでよりいっそう世界の支配権を強めていきます。反対に債務者である一般国民はいくら働いても豊かにならず、世界には大きな富の格差が生まれ、武器輸出による巨額な利権からも世界から紛争が絶えることがないのです。

こうした金持ちによる世界の支配を防ぐためには、現在の利子制度と株式制度からなる金融制度を根本的に見直す必要があります。簡単には進まないと考えられますが、そうした大規模な金融制度改革を行うことで世界に広がる貧富の格差を縮められ、世界の人々がもう少し平等で幸せに暮らせる社会を築けるのではないでしょうか？

株式制度と利子制度からみた世界の中央銀行制度

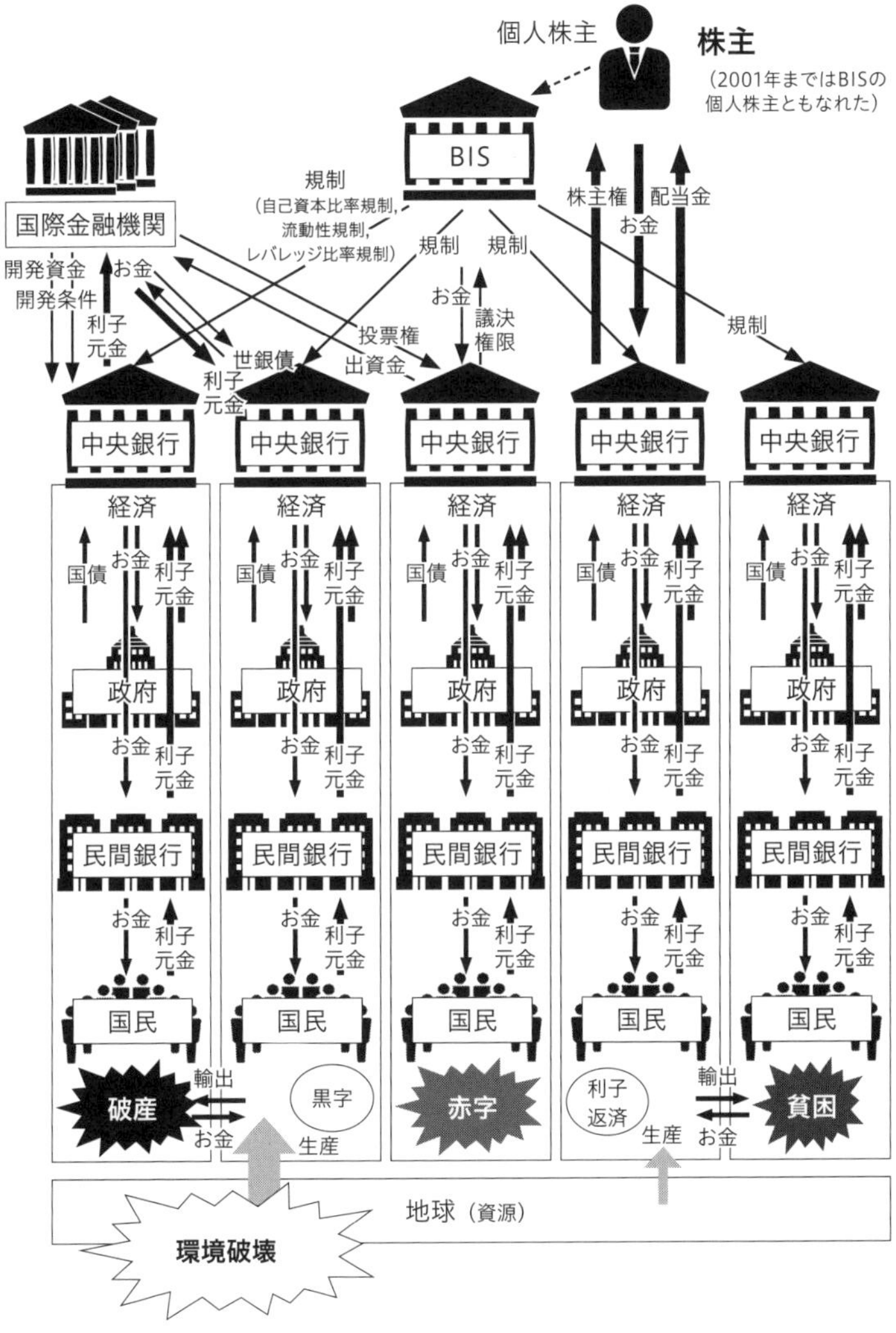

注

1章

1 Business Insider『23 fascinating diagrams reveal how to negotiate with people around the world』Aug 14, 2015

2 The Guardian『'We are becoming a joke': Germans turn on Deutsche Bahn』20 Dec 2018

3 DW『Deutsche Bahn delays on-time arrival goal amid lack of investment』22.11.2018

4 Niklas Modig、Pär Åhlström『This is Lean』Rheologica Publishing, 2012

5 河合薫「再来した大リストラ時代と『雇用流動化』礼賛の幻想」『日経ビジネス』、2019年10月15日

6 IMF『World Economic Outlook』April 2019

7 厚生労働省海外情勢報告『欧州地域にみる厚生労働施策の概要と最近の動向（スウェーデン）』2018年 厚生労働省海外情勢報告、2018年

8 和田佳浦、樋口英夫『北欧の公共職業訓練制度と実態』独立行政法人 労働政策研究・研修機構、2016年5月

9 Göteborgs-Posten『Kritik mot GP:s granskning av Le pain Français』15 maj, 2013

10 SVT Nyhter『Ericssonkrisen – 15 år av varsel』25 september 2016

11 Arbetet『En miljard i löner och bonusar på Ericsson』4 okt 2016

12 Forbes『World's Billionaires List The Richest in 2020』3/18/2020
株式会社東京商工リサーチ『2015年3月期決算「役員報酬 1億円以上開示企業」調査（最終まとめ）』2015年7月13日

13 SverigesRadio『Facket är kritiskt till Ericssonvarslet』11 mars 2015

14 Aftonbladet『Volvo varslar över 3 000』11 mar 2011
SvD『Volvo varslar totalt 10 000』2009-05-27
ingenjören『Volvo drar ner med 4 400』6 februari 2014
Di『Volvo Cars drar i bromsen – gör sig av med 500 konsulter』22 maj 2019

15 SvD『5000 konsulter får gå från AB Volvo』2020-03-23

16 SAAB『Saab serves notice of 300 employees in Linköping』Apr 23, 2009

17 Corren.se『850 personer får lämna Saab』2018-10-23

18 Aftonbladet『7500 jobb försvinner från Ikea』21 nov 2018

19 SverigesRadio『Oklara besked om varsel på Astra Zeneca』2 mars 2010

20 SverigesRadio『1200 jobb bort från Astra Zeneca i Södertälje』2 februari 2012

21 SVT Nyhter『SAS varslar 100 kabinanställda』18 november 2014

22 Aftonbladet『SAS varslar omkring 1000 om permittering』30 apr 2019

23 Dagens Nyheter『SAS permitterar 10.000 anställda』2020-03-15

2章

1 SverigesRadio『New rules will force Swedes to pay off mortgages』4 februari 2016

2 The Local『Sweden scraps plan for new mortgage rules』23 April 2015

3 Statens bostadskreditnämnd (BKN)『Hushållens skuldsättning i spåren av finanskrisen- en internationell jämförelse Marknadsrapport』Statens bostadskreditnämnd (BKN), Februari 2011

4 『The Mortgage Market in Sweden』 Swedish Bankers' Association September 2018
5 『The Mortgage Market in Sweden』 Swedish Bankers' Association September 2018
6 International Monetary Found 『Sweden: Great Economic Performance but Mind the Debt』 November 17, 2016
7 Dina Pengar 『Utspelet: Vänsterpartiet vill stoppa bankernas "överräntor"』 13 aug 2018
8 SverigesRadio 『Banks making "all-time high" margins on mortgages: watchdog』 9 maj 2017
9 SvD 『Borg: "Vinsterna är provocerande" 』 2012-02-07
10 NHKクローズアップ現代＋『耐震偽装　広がる疑惑』2006年3月13日
11 NHKクローズアップ現代＋『橋の"命綱"が危ない　～公共工事　はびこる不正～』2015年12月10日
12 The Local 『Traffic chaos expected after Stockholm bus fire』 11 March 2019
13 SverigesRadio 『Tre av fyra Västtrafikbussar underkänns i polisens kontroller』 onsdag 8 maj 2017
14 SPIGEL 『Unglücke auf Volksfesten Gefährliche Attraktionen』 11.08.2004
15 World Cities Culture Forum 『Number of international tourists per year』 2016
16 ELECTRICITY 『Cooperation for sustainable and attractive public transport』 STATUS REPORT JUNE 2016
17 History 『Did a Premature Obituary Inspire the Nobel Prize?』 Dec 9, 2016
AFP通信『死の商人から平和の象徴へ、「ノーベル賞」創設秘話』2010年10月4日
18 AFP通信『死の商人から平和の象徴へ、「ノーベル賞」創設秘話』2010年10月4日
19 笹川かおり『「サンタクロースはグリーンランドに住んでいます！」デンマーク大使館のイェンセンさんに聞く世界サンタクロース会議とは』HUFFPOST、2013年12月17日
20 『Obesity Update 2017』 OECD, 2017
21 Göteborgs Posten 『Västtrafik höjer böter för fuskåkare』 1 feb, 2019
Göteborgs Posten 『Västtrafik fyrdubblar antalet biljettkontroller』 20 sep, 2019
22 SverigesRadio 『Sun-worshipping Swedes top skin cancer league』 25 maj 2012

3章

1 SverigesRadio 『Många får vänta länge på att träffa sin läkare』 8 november 2017
2 SVT nyheter 『Så lång tid får du vänta på att träffa läkaren』 18 februari 2017
3 Sveriges Kommuner och Landsting 『Vårdgarantiläget i Sverige』 augusti 2020
4 Sveriges Kommuner och Landsting 『Vårdgarantiläget i Sverige』 augusti 2020
5 Vårdfokus 『Karolinska kritiseras för att patienter avled i cancerkön』 2018-10-17
6 Svenska Dagbladet 『Vårdköerna dödar』 2017-03-02
7 läkartidningen 『Vart fjärde dödsfall relaterat till platsbrist och hög arbetsbelastning』 2017-02-20
SvD 『Linda Nordlund:Vårdköerna dödar』 2017-03-02
8 その法律は患者に重大な傷害を引き起こした、または引き起こした可能性のある事象を医療施設に報告させることを義務付けている
9 SvD 『Linda Nordlund:Vårdköerna dödar』 2017-03-02
10 Aftonbladet 『Tandvården för dyr för många』 28 sep 2012
11 Aftonbladet 『Grovt oskicklig läkare förlorar leg』 17 sep 2018

12 Hälso-och sjukvårdens ansvarsnämnd
Aftonbladet『Grovt oskicklig läkare förlorar leg』17 sep 2018
13 SverigesRadio『Oskicklig läkare fråntas legitimation 』7 mars,2019
14 SverigesRadio『Grovt oskicklig läkare blir av med sin legitimation』6 september,2019
15 NHK BS世界のドキュメンタリー『カリスマ医師の隠された真実』2017年6月13日
16 BBC『Paolo Macchiarini: A surgeon's downfall』10 September 2016
17 The Local『Macchiarini's seventh transplant patient dies』20 March 2017
18 山本一道『Vol.050 ある外科医の研究不正疑惑とノーベル会議事務局長の辞任』医療ガバナンス学会、2016年2月25日
19 SVT Nyheter『Macchiarini fortsätter att operera i Turkiet』11 december 2018
20 厚生労働省『令和元年（2019）人口動態統計（確定数）の概況』
21 SCB『Födda i Sverige』2020-09-02
22 内閣府『平成16年版　少子化社会白書』平成16年版
23 NHKクローズアップ現代『ここまできた！？不妊治療　"子宮移植"で子どもを…』2018年5月7日
24 University of Gothenburg『Mats Brännström』Professor/ chief physician
25 KAW『Fyra forskande överläkare blir Wallenberg Clinical Scholars 2018』2018-04-04
26 Aftonbladet『Sahlgrenska får kritik för ettårings död』03 okt 2019
27 石橋未来『スウェーデンの介護政策と高齢者住宅～岐路に立たされる高福祉国～』大和総研調査季報 2016年 新春号 Vol.21、大和総研、2015年11月
小松紗代子『福祉国家スウェーデンの高齢者住宅・介護事情』みずほ情報総研、2016年1月19日
28 Swedish Institute『Elderly care in Sweden』3 July 2020
29 週刊現代『スウェーデンにはなぜ「寝たきり老人」がいないのか』2015年9月27日
30 Göteborgs-Posten『Vanja, 94 år: Vem kommer i dag?』26 jan, 2019
31 伊藤清香『「福祉大国」は幻想？スウェーデンの高齢者介護事情』WEDGE Infinity、2012年5月15日
32 SverigeRadio『Majoriteten äldre besväras av ensamhet』26 september,2019
33 SverigeRadio『Många känner sig ensamma på äldreboende』13 oktober2019
34 Aftonbladet『Äldres ensamhet är en hälsorisk』09 jun 2019
35 News55『Ensamhet vanlig orsak till äldres självmord』2017-10-29
36 OECD Data『Suicide rates』2018 or latest
37 厚生労働省自殺対策推進室 警察庁生活安全局生活安全企画課『令和元年中における自殺の状況』令和2年3月17日
38 Karolinska Institutet『Självmord i Sverige』2019
39 総務省統計局『人口推計（令和元年〈2019年〉8月確定値, 令和2年〈2020年〉1月概算値）』2020年1月20日公表
40 総務省統計局『高齢者の人口』2019年9月15日
41 厚生労働省老健局『介護サービス基盤整備について』令和元年9月13日
42 産経新聞『介護施設で入所者の男性死亡　殺人容疑で元職員を逮捕　警視庁』2019年5月22日

43 時事ドットコムニュース『老人ホーム元職員を逮捕　入所者を肘打ちした疑い―鹿児島県警』2019年11月12日
44 伊藤清香『福祉大国」は幻想？スウェーデンの高齢者介護事情』WEDGE Infinity、2012年5月15日
45 SVT Nyheter『Ny skandal på Carema-boende』16 november 2011
46 SVT Nyheter『Pappan dog av svält på boende – kräver att avdelning ska stängas』25 januari 2018
47 Kommunalarbetaren『Stora brister i äldreomsorgen』19 mar 2019
48 Reuters『介護スキャンダルで老後に不安、フィンランドで左派への支持拡大』Apr 9, 2019
49 伊藤清香『「75歳まで働いてほしい」高齢化で実はピンチ？ スウェーデンの年金制度』WEDGE Infinity、2012年2月14日
Pensions Myndigheten『Occupational pension from your employer』5 juni 2020
Pensions Myndigheten『Höjd pensionsålder』16 april 2020
Pensions Myndigheten『Guarantee pension – if you had a low income』5 juni 2020
Pensions Myndigheten『Eget sparande till din pension』28 juli 2020
50 北岡孝義『「持続可能な制度」と絶賛されたスウェーデン公的年金の誤算』幻冬舎 GOLD ONLINE、2016年12月1日
51 The Local『Sweden to increase retirement age from next year』2 February 2019
Pensions Myndigheten『Höjd pensionsålder』16 april 2020
52 World Health Organization『WORLD HEALTH STATISTICS 2019』
53 IFAU『Forskning om kvinnor och män på arbetsmarknaden』2019-10-02
54 Aftonbladet『Äldres ensamhet är en hälsorisk』09 jun 2019
55 AFP『発生からパンデミックまで、WHOの新型コロナ対応 時系列で振り返る』2020年4月16日
56 Worldometers Coronavirus 2020-10-24
SVT Nyheter『Den senaste veckan har Sverige högst coronadödstal per invånare』21 maj 2020
57 Aftonbladet『22 forskare om flockimmunitet: Är en orealistisk strategi』14 maj 2020
58 Dagens Nyheter『Sveriges skolor stängs inte – men kan få förlänga terminen』2020-03-12
59 Aftonbladet『Sverige stänger inga gränser』15 mar 2020
60 SVT Nyheter『Regeringen stänger gränserna』17 mars 2020
61 Aftonbladet『Gymnasieskolor ska gå över till distansundervisning』17 mar 2020
62 SVT Nyheter『Stefan Löfven håller tal till nationen i SVT』22 mars 2020
63 The Local『Who's actually responsible for Sweden's coronavirus strategy?』30 March 2020
64 SVT Nyheter『Stefan Löfven håller tal till nationen i SVT』22 mars 2020
SVT Nyheter『Stefan Löfven: De närmsta månaderna kommer att bli påfrestande』22 mars 2020
65 Aftonbladet『Sverige stänger inga gränser』15 mar 2020
66 SVT Nyheter『Över 150 covid-sjuka har avlidit på Stockholms äldreboenden – "Behövs nya skyddsrutiner"』7 april 2020
67 Svenska Dagbladet『90 procent av alla döda i covid-19 var över 70 år』2020-05-28
68 Svenska Dagbladet『Ministern: Börjar få loss skyddsmateriel』2020-03-18
69 SverigeRadio『Vården ska få fler platser för intensivvård och mer skyddsmaterial』2020,18 mars
70 SVT Nyheter『Andelen äldre covidpatienter har minskat kraftigt』23 april 2020

71 Expressen『Över 4 000 döda av corona i Sverige』25 maj 2020
72 Aftonbladet『Många ute och festar i Stockholm』19 apr 2020
73 Aftonbladet『Regeringens krisdrag i coronavirusets spår』04 mar 2020
74 SVT Nyheter『Regeringen presenter stödpaket på upp till 300 miljarder kronor till näringslivet』16 mars 2020
75 Dagens Nyheter『SAS permitterar 10.000 anställda』2020-03-15
76 SVT Nyheter『Nya arbetssökande nästan dubbelt så många i mars』14 april 2020
77 SVT Nyheter『Andelen äldre covidpatienter har minskat kraftigt』23 april 2020

4章

1 Göteborgs Stads『Förskola och familjedaghem』2019
2 SVT Nyheter『Så många förskollärare saknas i Göteborg』7 februari 2017
3 Skolverket『Statistik om barn och personal i förskolan』25 april 2018
4 Dagens Samhälle『V: Det krävs mer personal inom förskolan』18 april 2018
5 全国保育協議会『全国保育協議会　会員の実態調査報告書2016』社会福祉法人全国社会福祉協議会・全国保育協議会、平成29年6月
6 Stockholm Stad『Förskolan – En god investering i jämlika livsvillkor』2017
7 SVT Nyheter『Skarp kritik mot förskolan i Högsby kommun』4 oktober 2014
8 SverigeRadio『Tungt kriminellt belastad man arbetade inom barnomsorgen』17 september 2019
9 Skolverket『Lärarbehörigheten minskar i grundskolan men ökar i gymnasiet』12 mars 2019
10 The Local『What's behind the rising inequality in Sweden's schools, and can it be fixed?』22 August 2018
11 Expressen『Sveriges PISA-framgång bygger på falska siffror』2 jun 2020
12 SVT Nyheter『SVT avslöjar: Lärare hjälper elever fuska på nationella proven』15 februari 2017
13 Skolverket『Lärarbehörigheten minskar i grundskolan men ökar i gymnasiet』12 mars 2019
14 OECD Data『Secondary graduation rateUpper secondary』2019
15 Aftonbladet『Hälften klarar inte gymnasiet』26 jun 2009
16 SVT Nyheter『Här saknar varannan elev gymnasiebehörighet』12 mars 2018
17 北岡孝義『教育現場に「競争原理」を導入して失敗したスウェーデン』幻冬舎 GOLD ONLINE、2016年11月24日
18 みゆきポアチャ『崩壊するスウェーデンの学校制度（下）』JBpress、2013年4月30日
19 北岡孝義『教育現場に「競争原理」を導入して失敗したスウェーデン』幻冬舎 GOLD ONLINE、2016年11月24日
ル・モンド・ディプロマティーク ヴィオレット・ゴアラン『学校の民営化、スウェーデンの大失敗』仏語版2018年9月号
20 Göteborgs-Posten『Jätteslagsmål i centrala Göteborg - stor polisinsats』8 jun, 2017
Göteborgs-Posten『Polisen: Stökigare än någonsin kring studentfiranden』9 jun, 2017
Göteborgs-Posten『Gymnasiet står inför problem』12 jun, 2017
21 SVT Nyheter『Elever misstänks ha förgiftat kaffe』29 oktober 2013
22 Swedish Government Inquireis『Internationalisation of Swedish Higher Education Institutions』2018

23 Universitas 21『U21Ranking of National HigherEducation Systems 2019』March 2019
24 Jämtlands Tidning『Skarp kritik mot SFI Krokom』September 2019
25 Folkbladet『"Vi lär oss knappt något"』2015-12-08
26 Skolinspektionen『Kvalitetsbrister i SFI-undervisningen』19 april 2018
27 SAMTIDEN『Skolinspektionen om SFI: "Mycket att se över och förbättra"』19 april, 2018
28 Skolverket『Skolverkets lägesbedömning 2017』
29 SvD『Lärare riskerar att fly när SFI upphandlas』2016-04-19
30 Spraktidningen『Två av tre elever klarar inte sfi』3/2007
31 SvD『Lärare riskerar att fly när SFI upphandlas』2016-04-19
32 Ekonomifakta『Arbetslöshet - utrikes födda』2020-09-17
33 Aftonbladet『"Finns ingen efterfrågan på utrikesfödda analfabeter』28 aug 2019

5章

1 小部春美『スウェーデンのキャッシュレス化・ドイツのキャッシュレス化』財務省 広報誌『ファイナンス』令和元年7月
2 藤井薫『世界的にキャッシュレス化が進んでいるのに、なぜ米国は反発するのか』産経新聞、2019年3月28日
3 Swish『Om Swish』2019
4 The Asahishinbun Globe+『キャッシュレス社会の最前線　スウェーデンの戸惑い』2019年1月9日
5 経済産業省『キャッシュレス・ビジョン』経済産業省商務・サービスグループ消費・流通政策課、平成30年4月
6 草薙厚子『現金不可！スウェーデンの驚くべき決済実情』東洋経済、2018年1月5日
7 PRO『Kontanter behövs』
8 SN『Ny lag ska värna tillgången till kontanter』2019-11-20
9 SverigesRiksbanken『e-krona』2019-11-07
10 Reuters Edward Hadas『コラム：マイナス金利脱出へ動くスウェーデン、他の先進国に波及も』2019年11月8日
11 外務省『スウェーデン王国（Kingdom of Sweden）基礎データ』令和元年9月24日
12 Lindholmen Science Park『CEVT now up and running in Geely Innovation Centre』13 January 2020, 全完成は2022年予定
13 Sernekeホームページ（https://www.serneke.se/）
14 外務省『スウェーデン王国（Kingdom of Sweden）基礎データ』令和元年9月24日
15 SverigesRadio『Swedish nurses going to work in Norway』4 augusti 2014
16 The Local『Doctors leave Sweden for Norway's work hours』30 October 2012
17 The Local『The end of an era? Norway no longer the promised land for young Swedes』16 February 2017
18 Svenska Bankföreningen『Banks in Sweden』March,2019
19 Svenska Bankföreningen『Banks in Sweden』March,2019
20 Wallenberg『About Us』
21 日本銀行『日本で最初にできた銀行はどこですか？』

22 日本銀行『世界最古の中央銀行はどこですか？』各国中央銀行の設立時期
23 立脇和夫『スウェーデン国立銀行「スウェーデン国立銀行の300年」（訳）』『早稲田商学』第403号、2005年3月
24 National Geographic『史上最強の企業、英国東インド会社の恐るべき歴史』2019年9月15日
25 NHKドキュメンタリー『欲望の経済史〜ルールが変わる時〜第2回　空間をめぐる攻防〜グローバル化と国家〜』2018年1月12日
26 Göteborg『Gothenburg's history & heritage』
27 OECD Data『Average annual hours actually worked per worker』2019
28 公益財団法人日本生産性本部『労働生産性の国際比較 2019』2019年12月18日
29 公益財団法人日本生産性本部『労働生産性の国際比較 2019』2019年12月18日
30 厚生労働省『「外国人雇用状況」の届出状況まとめ』平成30年10月
31 The Local『How many people got a work permit in Sweden last year?』3 January 2019
32 SPER『The Swedish gambling market』
33 AFP Tom SULLIVAN『平和愛するも「独裁者に武器販売」、スウェーデンの矛盾』2014年5月26日
34 GNV Ikumi Arata『スウェーデンの軍事産業』2019年7月18日
35 ADV Ratings『The 100 Largest Banks in the world 2019』2019
36 IMF『Population by countries』2018
37 Wallenberg.com | The official website for the Wallenberg family『About us』
38 Wallenberg.com | The official website for the Wallenberg family『About us』
39 Statista『Gross domestic product (GDP) at current prices in Sweden from 2009 to 2019』
40 Affärsvärlden『De 15 nya familjerna』2013-06-25
Proletaren『Att verka utan att synas – Wallenberg i den svenska pyramidens topp』2016-03-31
Affärsvärlden『Jorden de ärvde』2017-08-15
41 Proletaren『De 15 finansfamiljerna som styr Sverige』2014-04-17
42 The Economist『The Wallenberg group A Nordic pyramid』Mar 10th 2016
43 渡邉芳樹「スウェーデンモデルの学び方：スウェーデンの社会経済に見る強さの秘訣」『世界経済評論』2018年5月6月号、文眞堂、2018年4月13日
44 Peter Högfeldt『THE HISTORY AND POLITICS OF CORPORATE OWNERSHIP IN SWEDEN』NATIONAL BUREAU OF ECONOMIC RESEARCH, July 2004
45 Proletaren『Att verka utan att synas – Wallenberg i den svenska pyramidens topp』2016-03-31
46 Affärsvärlden『Jorden de ärvde』2017-08-15

6章

1『サーミの血』アマンダ・シェーネル監督、2016年
2 SvD『Coop fälls för reklam om ekologisk mat』2017-07-03
3 SverigesRadio『Se upp för fusk vid köp av ekologisk julmat』22 december 2017
4 KURERA『Utbrett fusk med honung』24 januari, 2017
LT『Falsk honung på hög EU-nivå』9 sep 2013
5 The New York Times『Ikea Recalls Meatballs After Detection of Horse Meat』Feb. 25, 2013
6 Aftonbladet『Turken var grek – stämmer mejeriet』09 apr 2010

7 日本経済新聞『2100年、想定超す温暖化　国連機関が報告書　沿岸インフラに危機　日本、問われる対応』2019年9月25日
8 SVT nyheter『Vattenfalls kolkraft kan bli ny spricka i regeringen』22 mars 2015
9 Vattenfall『Vattenfall completes German lignite business sale』30 September 2016
10 SverigesRadio『Vattenfall tog grönmålarpriset Climate Greenwash Award 2009』20 januari 2010
Aktuell Hållbarhet『Bildspel: Tidernas värsta greenwash-reklamer!』24 November 2015
11 Göteborgs-Posten『De smutsiga pensionspengarna: Granskningen i korthet』1 okt, 2019
12 山本隆三「スウェーデンが脱原発 → 建て替えに政策転換した理由」国際環境経済研究所、2016年8月2日
13 伊藤清香『スウェーデンが脱原発しない理由 国民が電力会社を選べるシステム』WEDGE Infinity, 2012年3月9日
14 World Nuclear Association『Nuclear Power in Sweden』July 2020
15 Vattenfall『Våra energikällor』
16 日本原子力研究開発機構『スウェーデンの原子力発電開発 (14-05-04-03)』2016年11月更新
F.Wagner, E.Rachlew『Study on a hypothetical replacement of nuclear electricity bywind power in Sweden』The European Physical Journal Plus, 26 May 2016
17 山本隆三「スウェーデンが脱原発 → 建て替えに政策転換した理由」国際環境経済研究所、2016年8月2日
18 NHKスペシャル『激変する世界ビジネス"脱炭素革命"の衝撃』2017年12月17日
19 AFP『ロックフェラー兄弟財団、化石燃料投資から撤退宣言』2014年9月23日
20『NEDO海外レポートNo.992』国立研究開発法人新エネルギー・産業技術総合開発機構『環境技術輸出を積極的に振興（スウェーデン）』2007年1月10日
21 Miljödepartementet, Näringsdepartementet, Utrikesdepartementet『Strategi för utveckling och export av miljöteknik 2011-2014』01 september 2011
22 Näringsdepartementet, Miljödepartementet och Utrikesdepartementet『Regeringens strategi för utveckling och export av miljöteknik 2011-2014 –Lägesrapport februari2013』

7章

1 STOCKHOLM INTERNATIONAL PEACE RESEARCH INSTITUTE『Data for the SIPRI Top 100 for 2002–18 (Excel)』
2 SAAB『U.S. Air Force Selects Saab and Boeing T-X Trainer』Sep 27, 2018
3 ASD Sourace『AeroSpace & DefenceCompanies』
4 STOCKHOLM INTERNATIONAL PEACE RESEARCH INSTITUTE『Data for the SIPRI Top 100 for 2002–18 (Excel)』
5 Business Insider『Sweden's Dirty Secret: It Arms Dictators』May 20, 2014
Business Insider『Europe's Most Peace-Loving Countries Export A Huge Amount Of The World's Weapons』May 23, 2014
6 AFP Tom SULLIVAN『平和愛するも「独裁者に武器販売」、スウェーデンの矛盾』2014年5月26日
7 NyTeknik『Den svenska atombomben』2011-07-19
8 STIMSON『Atomic Bombast: Nuclear Weapon Decisionmaking in Sweden 1945-1972』Apr 15, 1996
9 STIMSON『Atomic Bombast: Nuclear Weapon Decisionmaking in Sweden 1945-1972』Apr 15, 1996

10 AFP『スウェーデン、国連採択の核兵器禁止条約に署名せず』2019年7月13日
11 FMV『Flight Test Centre Linköping』2017-04-27
12 GNV Ikumi Arata『スウェーデンの軍事産業』2019年7月18日
13 Affärsliv AFFaRSLIV.com『Linköping är familjens vagga』2019-05-07
14 AFP Tom SULLIVAN『平和愛するも「独裁者に武器販売」、スウェーデンの矛盾』2014年5月26日
15 SAAB『Saab Expands Ties With Indian Aerospace Firms for Gripen Aerostructures』Feb 21, 2019
16『ドイツおよびスウェーデンの 防衛産業政策に関する調査ミッション報告』社団法人日本経済団体連合会 防衛生産委員会、2012年2月22日
17 AFFaRSLIV.com『Linköping är familjens vagga』2019-05-07
18『ドイツおよびスウェーデンの 防衛産業政策に関する調査ミッション報告』社団法人日本経済団体連合会 防衛生産委員会、2012年2月22日
19『日米技術協定（防衛目的のためにする特許権及び技術上の知識の交流を容易にするための日本国政府とアメリカ合衆国政府との間の協定）』日本外交主要文書・年表(1),737-739頁. 外務省条約局「条約集」, 第34集第28巻、1956年3月22日
20 WIPO『WIPO 2018 IP Services: Innovators File Record Number of International Patent Applications, With Asia Now Leading』March 19, 2019
21 Ericsson『Saab completes acquisition of Ericsson Microwave Systems』Jun 12, 2006
SAAB『Saab acquires Ericsson Microwave Systems』Jun 12, 2006
22 WIPO『WIPO 2018 IP Services: Innovators File Record Number of International Patent Applications, With Asia Now Leading』March 19, 2019
23 経済産業省『防衛装備移転三原則』平成26年4月1日
24 寺井伸太郎「軍民両用技術『デュアルユース』研究は悪か」『日経ビジネス』2017年3月17日
25 Omega Research Foundation『Eurosatory 2016 Exhibitors List』May 31st, 2016
26 Omega Research Foundation『Eurosatory 2018 Exhibitors List』2018
27『ドイツおよびスウェーデンの 防衛産業政策に関する調査ミッション報告』社団法人日本経済団体連合会、防衛生産委員会 2012年2月22日
SOFF『Om SOFF』
28 Svenska Fredes『LAGAR OCH RIKTLINJER FÖR SVENSK VAPENEXPORT』2018-12-01
Regeringskansliet『Lag (1992:1300) om krigsmateriel』1992-12-10
Morgan Johansson(Utrikesdepartementet)『Regeringens proposition2017/18:23Skärpt exportkontroll av krigsmaterie』19 oktober 2017
29『第15回 NDIA/SOFF防衛産業カンファレンス及びスウェーデン防衛関係機関と企業への訪問』一般社団法人 日本航空宇宙工業会『航空と宇宙』「工業会活動」平成27年7月第739号 2015年7月7日
30 Svenska Fredes『SNABBA FAKTA OM VAPENEXPORT』2019-10-19
31 Aftonbladet『Saab säljer vapen till land som dödat civila』13 jul 2016
32 Göteborgs-Posten『Vapenexporten till Saudiarabien måste avslutas - inte främjas』21 okt, 2016
33 Aftonbladet『Expert: Saabs Erieye kan ha använts i Kashmir』27 feb 2019
34 Göteborgs-Posten『Vapenexporten till Saudiarabien måste avslutas - inte främjas』21 okt, 2016
35 SverigesRadio『Swedish PM going to Saudi Arabia』20 oktober 2016

36 SverigesRadio『Swede behind Syria arms smuggling』31 oktober 2013
37 SverigesRadio『250 Swedish military vehicles sold to Iraq』3 mars 2015
38 Internationella Kvinnoförbundet för Fred och Frihet（IKFF）『THE SWEDISH ARMS TRADE AND RISK ASSESSMENTS: DOES A FEMINIST FOREIGN POLICY MAKE A DIFFERENCE?』
39 AFP Tom SULLIVAN『平和愛するも「独裁者に武器販売」、スウェーデンの矛盾』2014年5月26日
40 AFP Ilgin KARLIDAG『「フェミニスト外交マニュアル」スウェーデン政府が外国向けに発表』2018年8月24日
41 Cambride University Press Karin Aggestam・Annika Bergman-Rosamond『Swedish Feminist Foreign Policy in the Making: Ethics, Politics, and Gender』
42 open Democracy Jacqui True『Why we need a feminist foreign policy to stop war』20 April 2015

8章

1 日本経済新聞『欧州で「反移民」に勢い、スウェーデン極右政党人気 9月9日総選挙で第1党うかがう　EUに新たな火種』2018年8月8日
2 川瀬正樹「スウェーデンにおける移民の流入と居住分化」広島修道大学『修道商学』第57巻第２号、2016年10月31日
3 Lindholmen Science Park『CEVT now up and running in Geely Innovation Centre』13 January 2020, 全完成は2022年予定
4 Göteborgs-Posten『Sverigedemokraterna fortfarande ute i kylan i Göteborg』22 nov, 2019
5 産経新聞『出生数90万人割れ』2019年12月27日
6 苅田香苗、北田真理「諸外国における少子化対策―スウェーデン・フランス等の制度と好事例から学ぶ」日本衛生学会『日本衛生学雑誌』73巻3号、2018年9月29日
The World Bank『Fertility rate, total (births per woman) - Sweden』2018
7 日本経済新聞『合計特殊出生率　人口維持には2.07必要』2016年12月22日
8 藤岡純一「スウェーデンにおける移民政策の現状と課題」関西福祉大学『関西福祉大学社会福祉学部研究紀要』、2012年3月
9 日本経済新聞『欧州で「反移民」に勢い、スウェーデン極右政党人気 9月9日総選挙で第1党うかがう　EUに新たな火種』2018年8月8日
10 川瀬正樹『スウェーデンにおける移民の流入と居住分化』広島修道大学『修道商学』第57巻第２号、2016年10月31日
11 The local『In figures: 2017's shootings in Sweden』22 December 2017
12 Sverige s Radio『Två unga män sköts ihjäl i Hallonbergen』13 November 2018
13『平成29年における組織犯罪の情勢【確定値版】』警察庁組織犯罪対策部　組織犯罪対策企画課、平成30年4月
14 The Local『12,000 weapons were handed in during Swedish amnesty: police』26 May 2018
The Local『Swedish police seized record number of weapons in 2018』15 June 2019
15 SverigesRadio『Grov narkotikasmuggling upp i rätten』9 oktober 2019
16 SVT Nyheter『Terrorist eller galning?』
17 SVT Nyheter『Svenska skolor övar situationer med dödligt våld』2019-12-11
18 SVT Nyheter『Polisens oroväckande statistik: Allt fler har lämnat för andra jobb』20 juni 2018

19 Göteborgs-Posten『Förslag om norska poliser i Sverige får stöd』17 okt, 2020

20 Transparency International『Corruption Perceptions Index 2019』

21 SVT Nyheter『Mångmiljardsmäll för Ericsson i mututredning』26 september 2019

22 Bloomberg Matt Robinson Chester Dawson『日産自とゴーン前会長、報酬巡りSECと和解－1600万ドル』2019年9月24日

23 SVT Nyheter『Mångmiljardsmäll för Ericsson i mututredning』26 september 2019

24 The local『Swedish telecom firm Telia to settle bribery case involving billions in payments to Uzbek official』22 September 2017
Finantial Time『Telia to pay $965m to settle Uzbek bribery claims』September 21 2017

25 Bloomberg Niklas Magnusson『スウェドバンクの資金洗浄疑惑深まる、米当局を情報提供で欺いた疑い』2019年3月28日
日本経済新聞『スウェーデン大手銀に資金洗浄疑惑　CEO解任』2019年3月28日
SVT Nyheter『Swedbanks vd: ”Osannolikt att vi skulle ha mörkat”』27 mars 2019

26 DI『Nancy Gougarty avgår från SKF:s styrelse – utreds för korruption』07 oktober 2019

27 Expressen『The documets reveal suspected bribery』25 jun 2015
Expressen『Saab betalade 600 000 till mutanklagad fackledare』29 nov 2017

28 SVT Nyheter『Löfven och Saab har hörts om Jas-affären』9 juni 2018

29 Raoul Wallenberg Institute『Four Takeaways from World's Biggest Anti-Corruption Gathering』25 October, 2018

30 SvD『Här är svenska företag aktiva i länder med korruptionsproblem』2012-11-02

31 SVT Nyheter『Fler svenska bolag i mutskandal』28 oktober 2005
The Local『Volvo execs charged for Saddam-era bribes』6 March 2009

32 SVT Nyheter『SVT:s ekonomikommentator: ”Olyckligt att Ericsson inte tar ansvar”』7 december 2019

33 Transparency International『Corruption Perceptions Index 2019』

34 The Washinton post『Here's this year's (flawed) Corruption Perception Index. Those flaws are useful.』Jan. 27, 2016

35 Reporters Without Borders『2020 World Press Freedom Index』

36 Finantial Time『Telia to pay $965m to settle Uzbek bribery claims』September 21 2017

37 BBC『Sweden's 100 explosions this year: What's going on?』12 November 2019

38 Pew Research Center『News Media and Political Attitudes in Sweden』May 17, 2018

39 SverigesRadio『Poll: Swedes' trust in media remains high』1 april 2016

40 SvD『(S)veriges ofria television』2005-04-06

41 Expressen『Kritiken mot SVT – studie visar politiska vinklingen』9 jun 2019

42 SVT Nyheter『Tusentals välutbildade flyr till Sverige』3 juni 2015

43 Nyheteridag『”Kompetensregnet”– så ljög SVT om att asylmigranter var högutbildade』4 sep 2019

44 Göteborgs-Posten『De smutsiga pensionspengarna: Granskningen i korthet』1 okt, 2019

45 NyhterIdag『Reportrar utan gränser varnar: Public service har blivit ”propagandaorgan” – i andra länder』13 sep 2019

46 NyhterIdag『Weidmo Uvell och Heberlein ger ut bok om yttrandefrihet: ”Tyvärr mår svensk

yttrandefrihet sämre än på mycket länge”』23 jan 2019

9章

1 Newsweek『揺らぐ「平等の国」スウェーデン　富裕層減税で格差拡大、ポピュリズムや極右台頭の懸念』2019年4月14日
2 Affärsvärlden『De 15 nya familjerna』2013-06-25
Proletaren『De 15 finansfamiljerna som styr Sverige』2014-04-17
3 The Economist『The Wallenberg group A Nordic pyramid』Mar 10th 2016
4 Noah Kirsch『ビル・ゲイツの資産が1000億ドル突破、ドットコムバブル以降初』Forbes Japan、2019年4月19日
5 Proletaren『De 15 finansfamiljerna som styr Sverige』17.april 2014
6 Financial Times『Meet the Wallenbergs』June 5 2015
7 The Economist『The Wallenberg group A Nordic pyramid』Mar 10th 2016
8 The Economist『The Wallenberg group A Nordic pyramid』Mar 10th 2016
9 Kunt och Alice Wallenbergs Stiftelse『Wallenbergstiftelsernas anslag 2019 – 2,4 miljarder』2020-03-10
10 Realtid『Wallenberg gör en (S)tenbeck』2013-07-10
11 渡邉芳樹「スウェーデンモデルの学び方：スウェーデンの社会経済に見る強さの秘訣」『世界経済評論』2018年5月6月号、文眞堂、2018年4月13日
12 The Economist『The Wallenberg group A Nordic pyramid』Mar 10th 2016
The Wall Street Journal『A Dynamic Duo: Cousins Hope To Restore Wallenberg Empire』April 22, 2003
Fokus『I Nobels innersta krets』1 november 2010
13 Affärsvärlden『Jorden de ärvde』2017-08-15
Proletaren『De 15 finansfamiljerna som styr Sverige』2014-04-17
Business Insider『Sweden's Wallenberg Dynasty Is Preparing For A Sixth Generation』Nov 23, 2014
14 電波新聞『協働激化する5G基地局市場』2018年11月14日
15 服部武志、藤岡雅宣『改訂版ワイヤレス・ブロードバンド教科書＝3.5G/次世代モバイル編』インプレス、2008年4月21日（第１版第４刷）
Docomo『3GPPの組織と活動内容』
16 Reuters『5Gをめぐる米中の主導権争い 「中国の手に入れば世界を監視下に」』2018年7月13日
17 3GPP『Initial Cellular V2X standard completed』September 26, 2016
18 3GPP『3GPP TR 22.826 V17.1.0 (2019-12) Technical Specification Group Services and System Aspects;Study on Communication Services for Critical Medical Applications (Release 17)』2019-12
19 3GPP『Telecoms and the Smart City』May 24, 2016
20 IHS Markit『The 5G EconomyHow 5G will contribute to the global economy』November 2019
21 日本経済新聞『〈解剖・中国製造2025〉中国5G、独自技術で攻勢 ファーウェイやZTE、基地局を世界で受注』2019年10月3日

22 SvD NÄRLINGSLIV『Löfven ger Wallenberg biljett in till Trump』2018年3月1日
23 日本経済新聞『米、中国大手2社の通信機器　調達禁止へ』2018年4月18日
24 日本経済新聞『 国防権限法とは 対中強硬策 多く盛り込む きょうのことば』2019年1月11日
25 The Wall Street Journal『Washington Asks Allies to Drop Huawei』November 23, 2018
26 日本経済新聞『官房長官、情報機器から中国2社排除「現段階で具体的な対応について控える」』2018年12月7日
27 Aftonbladet『Spelet bakom Löfvens möte med Trump』08 mar 2018
28 SAAB『U.S. Air Force Selects Saab and Boeing T-X Trainer』Sep 27, 2018
29 World Bank Open Dataによる2018年のスウェーデンのGDPは5554.55億アメリカドル
30 Knut and Alice Wallenberg Foundation『Establishment of the Foundation 1917』2020
31 Affärsvärlden『Wallenbergs rekordutdelning』2015-02-25
InvestorAB『Investor's largest shareholders』2020.01.09
32 Kunt och Alice Wallenbergs Stiftelse『Styrelsen』2019
33 Kunt och Alice Wallenbergs Stiftelse『Styrelsen』2019
34 The Economist『The Wallenberg group A Nordic pyramid』Mar 10th 2016
35 東京大学大学院農学生命科学研究科『アジアで初めてマルクス・ヴァーレンベリ賞を受賞 – 磯貝明　教授、齋藤継之　同准教授』2015年
36 Raoul Wallenberg Institute『Four Takeaways from World's Biggest Anti-Corruption Gathering』25 October, 2018
37 Aftonbladet『Sara Danius tar plats vid honnörsbordet』09 dec 2018
38 Projekt Runeberg『Vem är det : Svensk biografisk handbok / 1957　Wallenberg,Jacob』
39 Projekt Runeberg『Vem är det : Svensk biografisk handbok / 1977　Marcus,Wallenberg』
40 Bloomberg『Jacob Wallenberg』2020年時
Fokus『I Nobels innersta krets』1 november 2010
41 NobelPrize『Board of directors』2020
Kunt och Alice Wallenbergs Stiftelse (https://kaw.wallenberg.org)
42 Knut och Alice Wallenbergs Stiftelse『Scientific Advisory Board』
43 Nobelstiftelsen『Verksamhetsberättelse 2016』
44 Knut och Alice Wallenbergs Stiftelse『Wallenberg Foundations Grants 2018』2019-03-21
45 Karolinska Institutet『The Wallenberg Foundations』
46 Knut och Alice Wallenbergs Stiftelse『Wallenberg Foundations Grants 2018』2019-03-21
47 Di『Peter "Poker" Wallenberg: Nobel sätter Sverige på kartan』10 december 2017
48 在スウェーデン日本国大使館『Ordensutdelningsceremoni för Jacob Wallenberg, ordförande för Investor AB』11 april 2019
49 The Telegraph『King of Sweden considers using royal powers to break Nobel deadlock』11 April 2018
50 Reuters『Swedish king to change statutes of Nobel-awarding Academy』April 18, 2018
51 DW『Nobel Prize scandal: Prosecutor demands 3 years in prison for Jean-Claude Arnault』24.09.2018
52 日本国憲法 第1章 第1条 天皇は、日本国の象徴であり日本国民統合の象徴であつて、この地位は、主権の存する日本国民の総意に基く

53 日本国憲法第4条
54 SVERIGES KUNGAHUS『State visit to Brazil』2010-02-17
55 SVERIGES KUNGAHUS『The King visits Brazil with the Royal Technology Mission』2013-11-18
56 Team sweden brazil『SWEDEN-BRAZIL RELATIONS』2019
57 The Wallstreet Journal『スウェーデンのサーブ、ブラジルから戦闘機の契約を受注』2013年12月19日
AFP Yana MARULL『ブラジルの次期戦闘機、グリペンNGに決定 36機購入』2013年12月19日
58 SVERIGES KUNGAHUS『The Crown Princess Couple visit Germany – day 2』2019-6-26
59 SVERIGES KUNGAHUS『Statsbesök från Kanada – dag 4』2017-02-24
60 BBC『Queen speaks of Viking heritage』30 May, 2001
61 Reuters『英雄が一転、国を脱出　スペイン前国王の「栄光と凋落」』2020年8月5日
62『Bilderberg Meetings』The OFFICIAL WEBSITE
63 SWI『米国務長官も参加 完全非公開のビルダーバーグ会議って？』2019年6月3日
64 SverigesRadio『Löfven och Wallenberg till Saudiarabien』20 oktober 2016
65 SverigesRadio『Löfven och Saab har hörts om Jas-affären』8 juni 2018
66 実際には紙幣よりも銀行の帳簿上での金額が大半を占めているが、説明をわかりやすくするためここでは紙幣としている
67 日本銀行法（平成9年6月18日法律第89号）第1章 第6条
68 財務省ホームページ（https://www.mof.go.jp/about_mof/agency/）
69『特殊法人等の情報公開制度の整備充実に関する意見』総務省 特殊法人情報公開検討委員会、平成12年7月27日
70 日本銀行『日本銀行の出資証券とは何ですか？』
71 Board of Governors of the Federal Reserve System『Federal Reserve Act』
72 Board of Governors of the Federal Reserve System『Structure of the Federal Reserve System』Federal Reserve Banks
Board of Governors of the Federal Reserve System『Overview of the Federal Reserve System』Is Reserve Bank stock like regular corporate stock?
73 Board of Governors of the Federal Reserve System『Federal Open Market Committee』Structure of the FOMC
74 Board of Governors of the Federal Reserve System『Overview of the Federal Reserve System』The Reserve Banks: A Blend of Private and Governmental Characteristics
75 BIS（Bank for International Settlements）国際決済銀行ホームページ(https://www.bis.org/)
76 日本銀行『BIS（国際決済銀行）とは何ですか？』
77『BIS Basic Texts 2019, Statutes of the Bank for International Settlements（of 20 January 1930; text as amended on 7 November 2016）, Chapter I Article1』BIS, January 2019
78『BIS Basic Texts 2019, Statutes of the Bank for International Settlements（of 20 January 1930; text as amended on 7 November 2016）, Chapter I Article1』BIS, January 2019
79 国際通貨基金『IMFの概要』
80 国際通貨基金『IMFクォータ』
81 The World Bank『Voting Powers』

近藤浩一（こんどう・こういち）

1975年生まれ。法政大学法学部政治学科卒業後、神奈川県警入職。その後オーストラリア留学を経てIT企業で数年間勤務後、世界屈指のスウェーデンの通信機器メーカー・エリクソン社へ転職。2007年よりドイツ・デュッセルドルフ勤務、2012年よりスウェーデンで勤務し現在システムマネージャーとして5G（第5世代移動通信システム）開発に従事。

スウェーデン 福祉大国の深層
――金持ち支配の影と真実

発行日　二〇二一年二月　五日　初版第一刷発行
　　　　　　　　三月十二日　初版第二刷発行

著者　近藤浩一
発行人　仙道弘生
発行所　株式会社 水曜社
〒160―0022 東京都新宿区新宿一―一四―一二
電話 〇三―三三五一―八七六八
ファックス 〇三―五三六二―七二七九
URL：suiyosha.hondana.jp

本文・装幀　小田純子
印刷　モリモト印刷株式会社

本書の無断複製（コピー）は、著作権法上の例外を除き、著作権侵害となります。
定価はカバーに表示してあります。落丁・乱丁本はお取り替えいたします。

© KONDO Koichi 2021, Printed in Japan
ISBN 978-4-88065-492-8 C0036